ART of Africa
Afrikanische KUNST
Afrikaanse KUNST
ARTE Africano

SCALA

Contents   Inhalt   Inhoudsopgave   Índice

Introduction

Providing a comprehensive outline of Sub-Saharan African art can be a real challenge. The reason for this is simple: most pieces of African art have failed to reach us intact due to the fragility of the materials used to create them — wood and clay. What's more, there is very little archaeological research dedicated to this subject. Nevertheless, even though what we do have only dates back over the last one-hundred and fifty years at the most, it has allowed us to connect a multitude of styles to specific ethnic groups and to spatial-temporal macro-areas which date back to thousands of years ago. If we are to fully understand the intended meaning of each Sub-Saharan artefact, we must try to imagine it back in the hands of the person who made it, and contextualise it through the humus of the beliefs and superstitions which played a part in its creation. However their differences didn't prevent the spread of common characteristics throughout all African art. A reoccurring theme is the family and divinity, and the relationship between them, which is favoured through the offering of sacrifices. The masks used during initiation ceremonies play the role of guaranteeing regularity in their lives and relationships, passing down the foundations of their culture, including the role of executioner for anyone found to be disobeying their laws. They particularly worried about agricultural and female fertility, which is shown through their art work. Within societies which do not possess a form of writing, art assumes an even more important role in people's lives. This is because it serves as a substitute for writing, providing substance to and aiding the usual oral method of sharing their traditions. One aspect of this art which Sub-Saharan artists probably didn't consider was pure aesthetic appearance. In fact, despite the careful workmanship of each piece, we know that none of them were created due to immediate artistic necessity: their aim wasn't to create a beautiful object. Just as importantly, these pieces of art strived for social reconstitution, man's happiness and the survival of the natural world.

Einführung

Die Kunst des subsaharischen Afrika erschöpfend zu kartieren, ist mehr als eine Lebensaufgabe. Der Grund dafür liegt auf der Hand: Aufgrund der Zerbrechlichkeit und Vergänglichkeit der verwendeten Materialien — Holz und Erde — liegt uns der größte Teil der Werke nicht unversehrt vor. Die archäologischen Forschungen in diesem Bereich sind zu spärlich und sporadisch. Das, was wir dennoch in Händen halten, obgleich vorwiegend in den letzten rund einhundertfünfzig Jahren entstanden, ermöglicht es uns, eine Vielzahl von Stilen mit Ethnien sowie räumlichen und zeitlichen Makroarealen in Verbindung zu setzen, die Jahrtausende zurückreichen. Ein vollständiges Verständnis der Bedeutung jedes einzelnen Stücks Kunsthandwerk des afrikanischen Kontinents südlich der Sahara fordert uns den Aufwand ab, es wieder in die Hände dessen zu legen, der es geschaffen hat, in den ursprünglichen Kontext aus Spiritualismus und Aberglaube einzubetten, der ihn hervorgebracht hat. Doch trotz aller Unterschiede haben sich einheitliche Merkmale in allen Schöpfungen afrikanischer Kunst durchgesetzt. Ein immer wiederkehrendes Thema ist die Gegenwart der Familie und der Götter und die durch Opfergaben beeinflusste Beziehung zwischen beiden. Indem sie die Fixpunkte im Leben eines jeden markieren, werden die tanzenden Masken der Initiationsriten Garant für die Regelmäßigkeit des Lebens und seiner Beziehungen und gleichfalls zum Richter derer, die gegen die Regeln verstießen. Besondere Aufmerksamkeit galt der Fruchtbarkeit der Frau wie auch der Landwirtschaft, zugleich wurden Ängste durch die künstlerische Expressivität vertrieben. In oralen Kulturen nimmt die Kunst einen noch weitaus bedeutenderen Platz ein, denn sie kann Teile der mündlichen Überlieferung ersetzen, verleiht ihr Materie und unterstützt die Weitergabe von Traditionen. Ein Aspekt, der den Absichten der subsaharischen Künstler wahrscheinlich fremd ist, ist der bloße Ästhetizismus. Wir wissen, dass trotz der sorgfältigen Herstellung jedes einzelnen Stücks keines von ihnen unmittelbar künstlerischen Ansprüchen genügen sollte. Ziel war es nicht, einen pittoresken Gegenstand zu schaffen. Mit derselben Dringlichkeit streben die Werke zu einer Rekonstitution des Sozialen, zum Glück des Menschen und zum Fortbestehen der natürlichen Welt.

Introductie

Het is niet eenvoudig om de kunst van sub-Saharisch Afrika
volledig in kaart te brengen. De reden hiervan wordt al snel
duidelijk: het grootste deel van de werken heeft ons niet
intact bereikt, vanwege de kwetsbaarheid van de gebruikte
materialen – hout en aarde. Bovendien worden er te weinig
archeologische onderzoeken op dit gebied uitgevoerd. Met
datgene wat we in ons bezit hebben, zijn we, ondanks dat
het meeste materiaal uit de laatste 150 jaar dateert, toch
erin geslaagd vele stijlen aan specifieke volksgroepen en
aan ruimtelijk-temporele macrogebieden te verbinden, die
al duizenden jaren geleden zijn ontstaan. Om de betekenis
van elk sub-Saharisch kunstwerk volledig te kunnen
begrijpen, moeten we de oorspronkelijke context van de
creator reconstrueren en de voedingsbodem van religies en
bijgeloven in aanmerking nemen die een rol hebben gespeeld
in het scheppingsproces.
Ondanks de verschillen delen de Afrikaanse kunstwerken
ook gemeenschappelijke kenmerken. Terugkerende thema's
zijn de familie en godheden, en de verhouding tussen hen
onderling, die gecultiveerd wordt door het maken van
offers. De maskers die tijdens initiatieriten werden gebruikt,
fungeerden als garantie voor een normaal leven en goede
relaties, niet alleen door de overlevering van de fundamenten
ervan, maar ook door de uitbeelding van de scherprechters
voor wie de regels schond. Een bijzondere zorg was de
vruchtbaarheid van zowel de vrouw als de landbouwgrond,
en alle angsten werd bezworen middels kunstuitingen. In
schriftloze culturen speelt kunst een nog belangrijkere rol,
omdat ze de geschreven taal vervangt, de orale tradities voedt
en helpt om gebruiken en verhalen over te brengen. Iets wat
waarschijnlijk geen rol speelde bij de intenties van de sub-
Saharische artiest, was het puur esthetische aspect. Ondanks
dat alle werken met zorg zijn vervaardigd, zijn ze namelijk
niet het resultaat van een directe artistieke behoefte: het doel
van de makers was nooit om een mooi kunstwerk te creëren.
Wel streefden ze in hun werken naar een oplossing van de
sociale problematiek, naar het geluk van de mens en het
behoud van de natuurlijke wereld.

Introducción

Es una ardua tarea definir un mapa exacto del arte del
África subsahariano. El porqué es sencillo: la mayor parte
de la obras no han llegado intactas hasta nosotros a causa
de la fragilidad de los materiales utilizados para realizarlas,
como la madera y la tierra. Además, las investigaciones
arqueológicas en este campo se realizan de forma escasa.
En cualquier caso, lo que tenemos en nuestro poder, aún
tratándose de material que data al máximo de los últimos
ciento cincuenta años, ha permitido conectar una multitud
de estilos a etnias específicas y a macroáreas espacio-tempo-
rales de hace miles de años.
La compresión plena del significado que cada obra de arte
subsahariana intentaba transmitir implica, por nuestra
parte, un gran esfuerzo al imaginarla en manos de la
persona que la ha realizado, al contextualizarlo a la base
de las creencias y supersticiones que acompañaron su
realización.
Las diferencias no han evitado que se difundan rasgos
comunes a todas las variantes artísticas africanas. Un tema
recurrente es la presencia de la familia y de la divinidad,
y la relación que entre ellas existe, favorecida por el
desarrollo de los sacrificios. Las máscaras empleadas durante
los ritos de iniciación garantizaban la regularidad de la
vida y de las relaciones, convirtiéndose en verdugo para
quien transgrediese las reglas. Una preocupación particular
era la fertilidad femenina y agrícola, y cada miedo se
eliminaba a través de la expresión artística. Cuando se
habla de una sociedad sin escritura, el arte asume un rol
aún más importante porque ésta se sustituye dando lugar
a la tradicion oral, ayudando a compartir las tradiciones.
Un aspecto que probablemente faltaba en las intenciones
de los artistas subsaharianos es el puramente estético. De
hecho, a pesar de la cuidada elaboracion de cada una de las
obras, sabemos que ninguna de ellas era la respuesta a una
inmediata necesidad artística: el fin no era crear un objeto
bello. De manera igualmente urgente, las obras tendían a
una reconstitución de lo social, de la felicidad del hombre y
de la supervivencia del mundo natural.

Art from the West Coast

At the end of the 16th century, the fall of the Shongai Empire caused the internal displacement of the Mandé population, who abandoned their home lands and settled in modern day Liberia, Guinea, Sierra Leone and the Ivory Coast. The area of West Africa which surrounds the Niger River has therefore been home to many different peoples all living there together over the years.

All these nations developed a sense of communion through secret and exclusive societies, used for religious purposes and for deciding laws, for example the *Poro*. We must therefore take note of the crossover in artistic expression that exists between these various cultures, such as the use of traditional masks. However there is one thing that differs here in comparison with other areas of Africa: unlike normal tradition, here women are also sometimes allowed to wear these masks.

Die Kunst der Westküste Afrikas

Ende des 16. Jahrhunderts führt der Zusammenbruch des Songhai-Reiches zu einer Verlagerung der Siedlungsgebiete der Mande-Völker. Sie verließen ihre Gebiete im inneren des ehemaligen Reiches und ließen sich im Raum des heutigen Liberia, Guinea, Sierra Leone und der Elfenbeinküste nieder. Entlang des Flusses Niger war Westafrika so vom Zusammenleben sehr verschiedener Völker geprägt. Doch alle haben sie eines gemeinsam: die Bildung exklusiver Geheimgesellschaften wie des *Poro*, spirituelle, religiöse Gemeinschaften mit dem Ziel der Entwicklung der Moral des Individuums. Das parallele Auftreten künstlerischer Ausdrucksformen wie beispielsweise der traditionellen Masken in verschiedenen Kulturen ist in diesem Lichte deutbar. Eine Neuerung zeigt sich jedoch gegenüber anderen afrikanischen Gebieten: Entgegen allem Traditionalismus können hier von Zeit zu Zeit auch Frauen die Masken tragen.

De kunst van de westkust

Aan het einde van de zestiende eeuw bracht de ineenstorting van het Shongay-rijk een interne verschuiving van de Mandé-volkeren teweeg, die de binnenlanden verlieten en naar het huidige Liberia, Guinee, Sierra Leone en Ivoorkust trokken. In het deel van West-Afrika langs de rivier de Niger hebben daardoor onderling zeer verschillende volkeren met elkaar geleefd.

Al deze volkeren vonden gemeenschapszin bij geheime en exclusieve genootschappen, die gericht waren op religieuze doelen en het creëren van moraal, zoals de *Poro*. Op deze manier moet de transversale aanwezigheid van kunstuitingen, zoals de traditionele maskers, in de verschillende culturen geïnterpreteerd worden. Maar er is één verschil met de rest van Afrika: tegen alle tradities in mogen hier ook vrouwen wel eens maskers dragen.

El arte de la costa occidental

Desde finales del siglo XVI, la caída del Imperio shongay ha generado un desplazamiento interno de los pueblos Mandé que han abandonado los territorios de interior y se han establecido en las actuales Liberia, Guinea, Sierra Leona y Costa de Marfil. El África occidental situada entorno al río Níger ha tenido, por tanto, experiencia en la convivencia de pueblos muy diversos entre sí. Todos ellos han encontrado un punto en común al pertenecer a sociedades secretas y exclusivas, con fines religiosos y de construcción de la moral, como el Poro. Así, debemos entender la presencia de expresiones artísticas como las máscaras tradicionales en las diversas culturas. Con una novedad respecto a otras zonas de África: contra todo tradicionalismo, las mujeres a veces también podían ponérselas.

■ *This mask is designed to promote the fertility of women and the land. The flattened breasts are a reference to nursing, while the hooked nose is reminiscent of a bird's beak and the shape of the hoes used to work the fields. Two holes located between the breasts enable the dancer wearing it to see.*

■ *Stimmt die Fruchtbarkeit der Frauen und der Erde günstig. Die flache Brust verweist auf das Stillen, während die gekrümmte Nase an den Schnabel eines Vogels und die Form der Harke, die auf dem Feld gebraucht wird, erinnert.*

■ *Bevordert de vruchtbaarheid van vrouwen en de aarde. De afgeplatte borst doet denken aan borstvoeding terwijl de kromme neus doet denken aan de snavel van een vogel en de vorm van schoffels die gebruikt worden in de velden.*

■ *Favorece la fertilidad de las mujeres y de la tierra. Los pechos caídos evocan el amamantamiento, mientras la nariz aguileña recuerda el pico de un pájaro y la forma de las azadas usadas en los campos.*

Baga, Guinea-Bissau / Guinea Bissau
Nimba anthropo-zoomorphic mask, wood and string
Anthropozoomorphe Maske, Nimba, Holz und Schnur
Antropo-zoömorf helmmasker, hout en touw
Máscara antropozoomorfa nimba, madera y cuerda
ante 1935
h 130 cm / 51.2 in.
Musée du quai Branly, Paris

◄ **Baga, Guinea-Bissau / Guinea Bissau**
Nimba mask, wood, brass
Nimba-Maske, Holz und Messing
Nimba masker, hout en messing
Máscara nimba, madera y latón
1890–1910
h 132,08 cm / 52 in.
Yale University Art Gallery, New Haven

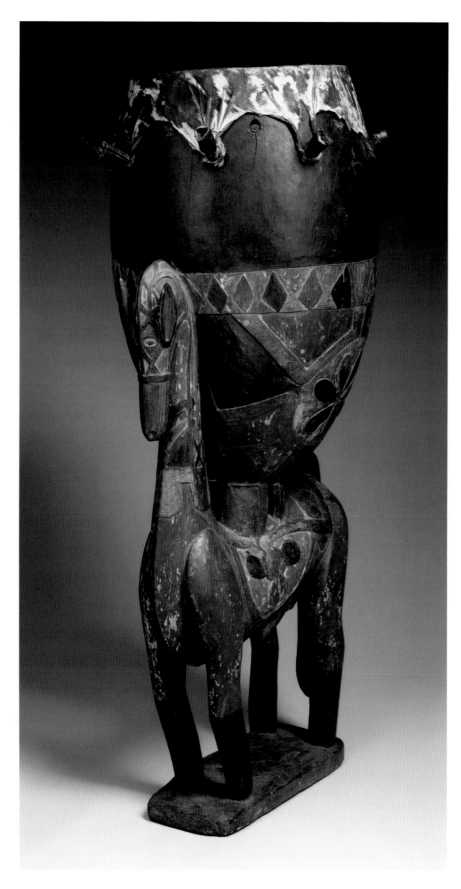

Baga, Guinea-Bissau / Guinea Bissau
Initiation drum and detail of characters which recall
the Nimba masks, wood, paint, leather and string
Trommel für den Initiationsritus und Detail
der Figuren, die an die Nimba-Masken erinnern,
Holz, Farbpigmente, Leder und Schnur
Initiatietamboer en detail van op Nimba-maskers
lijkende figuren, hout, pigmenten, huid en touw
Tambor de iniciación y detalle de los personajes
que recuerdan las máscaras nimbas,
madera, pigmentos, piel y cuerda
ante 1906
h 120,2 cm / 47.3 in.
Musée du quai Branly, Paris

◄ **Baga, Guinea-Bissau / Guinea Bissau**
Drum, wood, pigments, leather, antelope horn
Trommel, Holz, Leder, Kormoran und Pigmente
Drum, hout, leer, knollen en pigmenten
Tambor, madera, piel, cuernos de antílope
y pigmentos
1900–1920
h 61 cm / 24.01 in.
Musée du quai Branly, Paris

Baga, Guinea-Bissau / Guinea Bissau
Snake-shaped crest of *Bansonyi* mask, wood and pigments
Helm in Schlangenform (*basonyi*), Holz und Pigmente
Slangvormige kam (*basonyi*), hout en pigment
Cimera en forma de serpiente (*basonyi*), madera y pigmentos
1800–1920
h 240 cm / 94.49 in.
Musée du quai Branly, Paris

▶ **Baga, Guinea-Bissau / Guinea Bissau**
Headdress, wood and pigments
Helm, Holz und Pigmente
Kam, hout en pigment
Cimera, madera y pigmentos
h 34,5 cm / 13.59 in
Musée du quai Branly, Paris

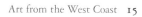

Baga, Guinea-Bissau / Guinea Bissau
Iran altar figure, wood and brass
Iran-Altarfigur, Holz und Messing
Iraans altaarfiguur, hout en messing
Figura de altar Iran, madera y latón
h 60,9 cm / 23.99 in.
Musée du quai Branly, Paris

Bidjogo, Guinea-Bissau / Guinea Bissau
Seated male figure, wood
Sitzende männliche Figur, Holz
Zittende mannelijke figuur, hout
Figura masculina sentada, madera
1700–1820
h 37,7 cm / 14.85 in.
Musée du quai Branly, Paris

Sapi, Sierra Leone
Sierra Leona

Nomoli figure, stone
Nomolo-Figur, Stein
Figuur nomolo, steen
Figura nomoli, piedra

1500–1600
Münsterberger Collection

It is believed that these figures, which were found by farmers working the land, are several hundred years old. For the Mende, they are the gods of rice, while for the Kissi they are representations of their ancestors. Stone is a material that is rarely used in African sculptures.

Man geht davon aus, dass diese von Bauern beim Harken der Erde entdeckten Figuren, mehrere hundert Jahre alt sind. Die Mende sehen darin die Gottheit des Lachens und die Kissi Darstellungen der Vorfahren. Der Stein ist ein für die afrikanischen Skulpturen selten verwendetes Material.

Men gelooft dat deze figuren, gevonden door boeren bij het graven in de aarde, enkele honderden jaren oud zijn. De Mende zien dit als goddelijke figuren van de rijst, de Kissi vinden dit beelden van voorouders. Steen is een zelden gebruikt materiaal in de Afrikaanse beeldhouwkunst.

Se considera que estas figuras, halladas por los campesinos mientras trabajaban la tierra, tienen varios centenares de años. Los Mende ven en ellos la deidad del arroz; los Kissi, representaciones de antepasados. La piedra es un material poco utilizado en las esculturas africanas.

Sapi, Sierra Leone / Sierra Leona
Nomoli figure, stone
Nomolo-Figur, Stein
Figuur nomolo, steen
Figura nomoli, piedra
1500–1600
Münsterberger Collection

Sapi-Portuguese, Sierra Leone
Sapi-portugiesisch, Sierra Leone
Sapi-Portugees, Sierra Leone
Sapi-Portugués, Sierra Leona

Saltcellar, ivory
Salzfass, Elfenbein
Zoutpot, ivoor
Salero, marfil

1400–1500
h 29,8 cm / 11.7 in.
The Metropolitan Museum
of Art, New York

Sapi-Portuguese, Sierra Leone
Sapi-portugiesisch, Sierra Leone
Sapi-Portugees, Sierra Leone
Sapi-Portugués, Sierra Leona

Saltcellar, ivory
Salzfass, Elfenbein
Zoutpot, ivoor
Salero, marfil

ca. 1490–1530
National Museum,
Lagos

▶ **Sapi-Portuguese, Sierra Leone**
Sapi-portugiesisch, Sierra Leone
Sapi-Portugees, Sierra Leone
Sapi-Portugués, Sierra Leona

Saltcellar, ivory
Salzfass, Elfenbein
Zoutpot, ivoor
Salero, marfil

ca. 1490–1530
British Museum,
London

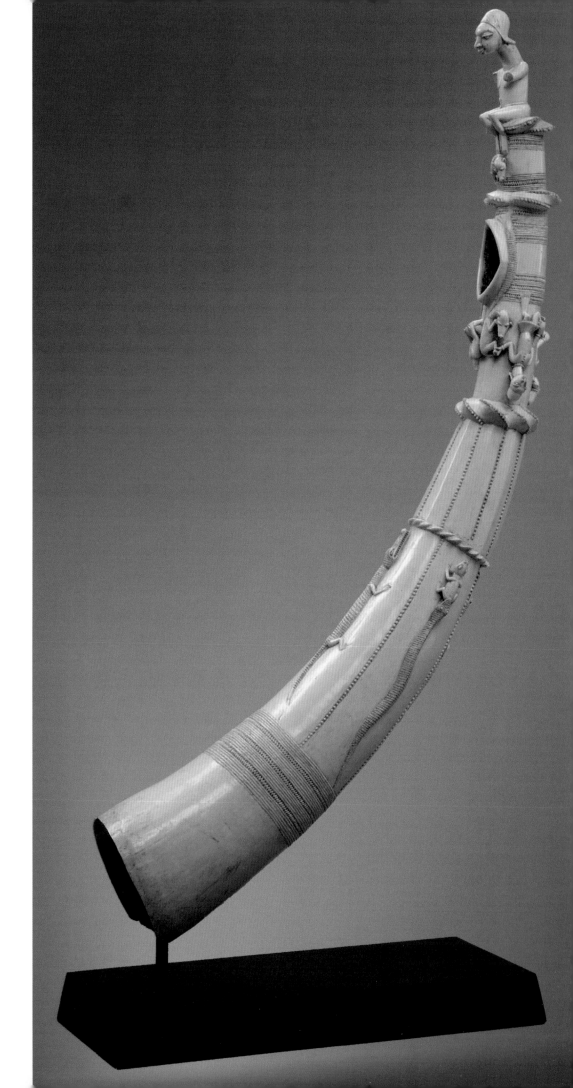

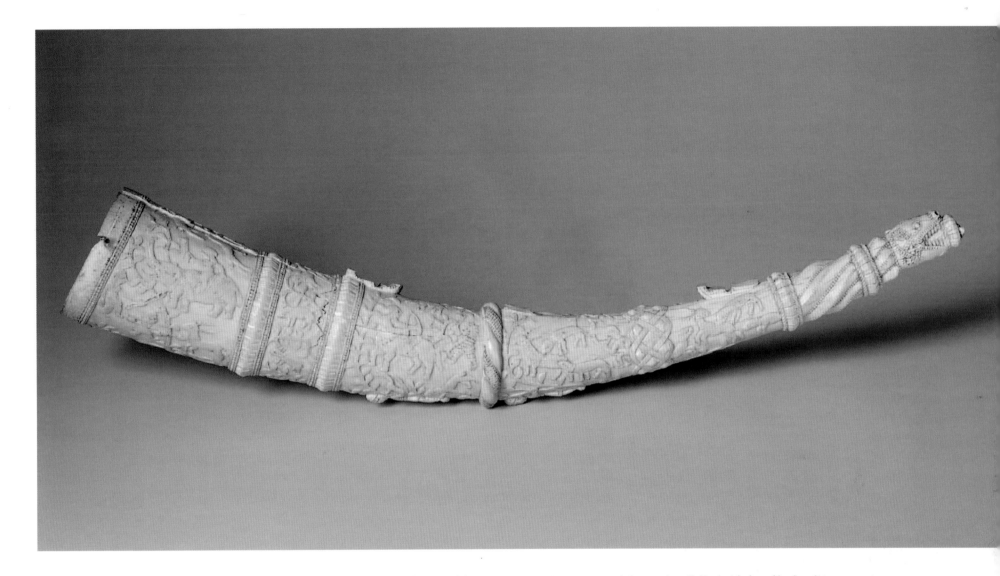

▌ *These objects were commissioned by the Portuguese and made by African artists to decorate the tables of the European courts. Western ornamental shapes and motifs blend with those of local traditions.*

▌ *Hierbei handelt es sich um Gegenstände, die von den Portugiesen in Auftrag gegeben und von afrikanischen Künstlern geschaffen wurden, um die Tafeln an den europäischen Höfen zu schmücken. Die westlichen Zierformen und -motive sind mit denen, die aus den lokalen afrikanischen Traditionen herrühren, verwoben.*

▌ *Het gaat om objecten waarvoor opdracht is gegeven door de Portugezen en gemaakt door Afrikaanse kunstenaars om tafels aan de Europese hoven te versieren. Westerse vormen en motieven van ornamenten zijn verweven met de lokale tradities.*

▌ *Se trata de objetos encargados por los portugueses y realizados por los artistas africanos para adornar las mesas de las cortes europeas. Formas y motivos ornamentales occidentales se entrelazan con los provenientes de las tradiciones locales.*

◀ Sapi-Portuguese, Sierra Leone
Sapi-portugiesisch, Sierra Leone
Sapi-Portugees, Sierra Leone
Sapi-Portugués, Sierra Leona

Trumpet, ivory
Trompete, Elfenbein
Trompet, ivoor
Trompeta, marfil

1400–1500
79 cm / 31.12 in.
Musée du quai Branly, Paris

Sapi-Portuguese, Sierra Leone
Sapi-portugiesisch, Sierra Leone
Sapi-Portugees, Sierra Leone
Sapi-Portugués, Sierra Leona

Trumpet, ivory
Trompete, Elfenbein
Trompet, ivoor
Trompeta, marfil

h 48,5 cm / 19.1 in.
Musée du quai Branly, Paris

Mende, Sierra Leone / Sierra Leona
Female figure, wood and pigment
Weibliche Figur, Holz und Pigment
Vrouwenfiguur, hout en pigment
Figura femenina, madera y pigmento
1880–1920
h 64 cm / 25.21 in.
Yale University Art Gallery, New Haven

Mende, Sierra Leone / Sierra Leona
Female figure, wood and pigment
Weibliche Figur, Holz und Pigment
Vrouwenfiguur, hout en pigment
Figura femenina, madera y pigmento
Tara Collection, New York

Mende, Sierra Leone / Sierra Leona
Kambei figure, wood
Kambei-Figur, Holz
Kambei-figuur, hout
Figura kambei, madera
1880–1920
h 64 cm / 25.2 in.
Yale University Gallery, New Haven

Mende, Sierra Leone / Sierra Leona
Mask for initiation rituals of female
Sande Society, wood
Maske für Initiationsriten
des Frauengeheimbundes Sande, Holz
Masker voor initiatieriten
van de vrouwelijke Sande-gemeenschap, hout
Máscara para los ritos de iniciación
de la sociedad femenina Sande, madera
1880–1920
Private collection / Privatsammlung
Privécollectie / Colección privada

◀ **Mende, Sierra Leone / Sierra Leona**
Sande female society helmet
mask, wood and pigment
Helmmaske der Frauengesellschaft
Sande, Holz und Pigment
Helmmasker van de vrouwelijke
Sande samenleving, hout en pigment
Máscara yelmo de la sociedad femenina
Sande, madera y pigmento
1800
h 41 cm / 16.1 in.
Musée du quai Branly, Paris

◀ **Bassa, Liberia / Liberien**
Mask, wood and pigment
Maske, Holz und Pigment
Masker, hout en pigment
Máscara, madera y pigmento

h 24 cm / 9.4 in.
Private collection
Private Sammlung
Privécollectie
Colección privada

Bassa, Liberia / Liberien
Anthropomorphic mask, wood
Anthropomorphe Maske, Holz
Antropomorf masker, hout
Máscara antropomorfa, madera

1800–1900
h 32,5 cm / 12.8 in.
Musée du quai Branly,
Paris

Zlan of Belewale,
Liberia or Ivory Coast
Zlan von Belewale,
Liberien oder Elfenbeinküste
Zlan an Belewale,
Liberia of Ivoorkust
Zlan de Belewale,
Liberia o Costa de Marfil
Female figure,
wood and pigment
Weibliche Figur,
Holz und Pigment
Vrouwenfiguur,
hout en pigment
Figura femenina,
madera y pigmento
ante 1960
h 58,4 cm / 23 in.
The Metropolitan
Museum of Art,
New York

Dan, Ivory Coast
Elfenbeinküste
Ivoorkust
Costa de Marfil

Mask, wood and horsehair
Maske, Holz und Pferdehaar
Masker, hout en paardenhaar
Máscara, madera y crin

h 22 cm / 8.6 in.
Private collection / Private Sammlung
Privécollectie / Colección privada

Dan, Liberia
Liberien

Gunyege racing mask,
wood, vegetable fibers, metal
Laufmaske (*gunyege*),
Holz, Pflanzenfasern, Metall
Racemasker (*gunyege*), hout, vezel, metaal
Máscara de carrera (*gunyege*), madera,
fibras vegetales, metal

1900–2000
Private collection
Private Sammlung
Privécollectie
Colección privada

Dan, Ivory Coast / Elfenbeinküste
Ivoorkust / Costa de Marfil
Mask, wood
Maske, Holz
Masker, hout
Máscara, madera
h 29 cm / 11.4 in.

▶ **Dan, Liberia / Liberien**
Kaogle mask, wood
Kaogle-Maske, Holz
Kaogle masker, hout
Máscara kaogle, madera
h 22 cm / 8.6 in.
Private collection / Private Sammlung
Privécollectie / Colección privada

Mende, Sierra Leone / Sierra Leona
Idealised female portrait, wood
Idealisierte Frauendarstellung, Holz
Geïdealiseerd portret van een vrouw, hout
Retrato femenino idealizado, madera
1900–2000
British Museum, London

▌ *These spoons are used by women to feed the masks and the men returning to initiation ceremonies. The spoon is associated with women's fertility, being a container.*

▌ *Diese Löffel verwenden die Frauen, um die Masken und die Männer zu füttern, die zur Initiation zurückkehren. Die fruchtbare Frau als "Behältnis" wird mit dem Löffel verglichen.*

▌ *Deze lepels worden gebruikt door de vrouwen om eten te geven aan de maskers en aan de mannen die terugkomen van de initiatie. De vruchtbare vrouw als "container" wordt gezien als lepel.*

▌ *Estas cucharas son usadas por las mujeres para dar de comer a las máscaras y a los hombres que vuelven a la iniciación. La mujer fecunda, como "contenedor" es asimilada a la cuchara.*

Dan, Ivory Coast / Elfenbeinküste
Ivoorkust / Costa de Marfil
Anthropomorphic spoon, wood
Anthropomorpher Löffel, Holz
Antropomorfe lepel, hout
Cuchara antropomorfa, madera
1900–1920
h 47 cm / 18.5 in.
Houston Museum of Fine Arts, Houston

Dan, Ivory Coast / Elfenbeinküste
Ivoorkust / Costa de Marfil
Anthropomorphic spoon, wood, pearls
Antropomorpher Löffel, Holz, Perlen
Antropomorfe lepel, hout, kralen
Cuchara antropomorfa, madera, cuentas
1800–1900
h 71 cm / 27.9 in.
Musée du quai Branly, Paris

▶ **Zlan of Belewale, Liberia or Ivory Coast**
Zlan von Belewale, Liberien oder Elfenbeinküste
Zlan an Belewale, Liberia of Ivoorkust
Zlan de Belewale, Liberia o Costa de Marfil
Anthropomorphic cerimonial spoon,
wood, fibres, metals and paint
Anthropomorpher Zeremonienlöffel,
Holz, Faser, Metalle und Pigmente
Ceremoniële antropomorfe lepel,
hout, vezel, metalen en pigment
Cuchara antropomorfa ceremonial,
madera, fibra, metal y pigmento
ante 1960
h 13,3 cm / 5.2 in.
The Metropolitan Museum, New York

Guro,
Ivory Coast / Elfenbeinküste
Ivoorkust / Costa de Marfil
Zamble mask, wood
Zamble-Maske, Holz
Zamble-masker, hout
Máscara zamble, madera
J. Friede Collection, New York

Guro, Ivory Coast / Elfenbeinküste
Ivoorkust / Costa de Marfil

Masks, wood and paint
Masken, Holz und Pigment
Maskers, hout en pigment
Máscaras, madera, pigmento

J. Friede Collection, New York

Guro or Bete, Ivory Coast
Guro oder Bete, Elfenbeinküste
Guro of Bete, Ivoorkust
Guro o Bete, Costa de Marfil

Mask, wood, monkey skin,
vegetable fiber, metal
Maske, Holz, Affenfell,
Pflanzenfasern, Metall
Masker, hout, apenhuid,
vezel, metaal
Máscara, madera, piel de
mono, fibras vegetales, metal

h 42 cm / 16.5 in.
Musée du quai Branly,
Paris

Guro, Ivory Coast
Elfenbeinküste
Ivoorkust
Costa de Marfil

Mask, wood, paint and string
Maske, Holz, Farbpigmente und Schnur
Masker, hout, pigmenten en touw
Máscara, madera, pigmentos y cuerda

1800–1950
h 44,1 cm / 17.3 in.
The Metropolitan Museum,
New York

**Guro, Ivory Coast / Elfenbeinküste
Ivoorkust / Costa de Marfil**
Mask, wood, paint
Maske, Holz, Pigmente
Masker, hout, pigmenten
Máscara, madera y pigmento
1800–1950
h 29, 2 cm / 11.5 in.
The Metropolitan Museum, New York

Art from Western Savannah

Business relationships between the peoples living in the desert, the Mediterranean and the Gulf of Guinea have always been very intense and – as well as encouraging the formation of kingdoms and city states – they have always found a common border area in the Savannahs of western Africa. Evidence of this can be found in their terracotta statues, which date back to between the 9th and 15th centuries. The Mandé peoples (like the Bamana) and other nations speaking Voltaic languages (populations which developed around the Volta River, such as the Mossi, the Gurma, the Bobo, the Dogon, the Senufo, and the Lobi peoples) settled in this very area. Amongst them, some founded kingdoms following this expansionist movement which were loyal to the faith of Islam (the Mandé), whereas others saw the development of more liberal communities (the Voltaic nations, with the exception of the Mossi).

Die Kunst der Savannenvölker im Westen

Zwischen der Wüstenregion im nördlichen Teil Afrikas, dem an das Mittelmeer angrenzenden Gebiet und der Gegend um den Golf von Guinea bestanden seit jeher intensive Handelsbeziehungen, die einerseits die Entstehung von Königreichen und Stadtstaaten förderten, andererseits in der Savannenlandschaft Westafrikas an gemeinsame Grenzen stießen. Evidentes Beispiel hierfür sind die Funde von Terrakottastatuen aus dem 9. bis 15. Jahrhundert. Mande-Völker wie die Bamana und die Sprecher der Volta-Sprachen, Mossi, Gurma, Bobo, Dogon Senufo und Lobi von den Ufern des Flusses Volta, ließen sich in eben diesem Gebiet nieder. Die Mande gründeten Königreiche mit expansionistischen Tendenzen unter dem Zeichen des Islam, andere, so die Volta-Völker mit Ausnahme der Mossi, riefen liberalere Gemeinschaften ins Leben.

De kunst van de westerse savanne

De handelsrelaties tussen de woestijnregio, het mediterrane gebied en dat van de Golf van Guinee zijn altijd heel sterk geweest en hebben niet alleen de vorming van koninkrijken en stadstaten bevorderd, maar ook altijd de savannes van West-Afrika als gemeenschappelijk grensgebied gehad. Dit bewijzen de vondsten van terracotta beeldhouwwerken, die tussen de negende en vijftiende eeuw zijn gemaakt. De Mandé-volkeren (zoals de Bamana) en Voltaïsch-sprekende volkeren (die langs de rivier Volta leven, zoals de Mossi, Gurma, Bobo, Dogon, Senufo en Lobi) hebben zich in dit gebied gevestigd. Enkele van hen hebben expansionistische rijken gesticht die het islamitisch geloof aanhangen (de Mandé), terwijl andere meer liberale gemeenschappen hebben gecreëerd (de Volta-volkeren, behalve de Mossi).

El arte de la sabana occidental

Las relaciones comerciales entre las regiones desérticas, el área mediterránea y la zona del Golfo de Guinea han sido siempre muy intensas y, además de favorecer la formación de reinos y de ciudades estado, han encontrado siempre en las sabanas del África occidental una zona de frontera común. Prueba evidente de ello son los descubrimientos de esculturas de terracota que datan desde el siglo IX hasta el XV. Los pueblos Mandé (como los Bamana) y los que hablan las lenguas voltaicas (es decir, las que se desarrollan entorno al río Volta, como los Mossi, los Gurma, los Bobo, los Dogón, los Senufo y los Lobi) se han establecido en este territorio. De entre estos, algunos han fundado reinos de carácter expansionista y fieles al credo islámico (los Mandé), mientras que otros han creado comunidades más liberales (los pueblos voltaicos, a excepción de los Mossi).

Dogon, Mali / Dogón, Malí

Facade of a home
Wohnungsfassade
Buitenkant van een huis
Fachada de vivienda

Dogon, Mali / Dogón, Malí

Exterior of tribe chief's house
Fassade des Hauses eines Stammeshäuptlings
Façade van de woning van een stamhoofd
Fachada de la vivienda del jefe de la tribu

▌ *While the figures that appear on the lock are generally interpreted as the founders of the ancestral lineage, others are seen as pairs of twins, a symbol of fertility. The granary occupies an important place in Dogon cosmology and mythology.*

▌ *Während die Figuren, die auf dem Schloss erscheinen, im Allgemeinen als die der Begründer des Geschlecht gedeutet werden, werden die anderen als Zwillingspaare gesehen, Symbole der Fruchtbarkeit. Der Kornspeicher hat eine zentrale Rolle in der Kosmologie und Mythologie der Dogon.*

▌ *Hoewel de figuren die zijn aangebracht op het slot in het algemeen worden gezien als die van de oprichters van het geslacht, de anderen worden gezien als tweelingparen, symbool van vruchtbaarheid. De schuur neemt een centrale plaats in binnen de kosmologie en mythologie van de dogon.*

▌ *Mientras las figuras que aparecen en la cerradura son generalmente interpretadas como las de los fundadores del linaje, las otras son vistas como parejas de gemelos, símbolo de fertilidad. El granero ocupa un lugar central en la cosmología y mitología dogón.*

Dogon, Mali / Dogón, Malí
Door with depiction of mythical ancestors, wood
Tür mit Darstellung der mythischen Vorfahren, Holz
Deur met afbeelding van mythische voorouders, hout
Puerta con representación de antepasados míticos, madera
h 83 cm / 32.7 in.
Private collection / Private Sammlung
Privécollectie / Colección privada

◀ **Dogon, Mali / Dogón, Malí**
Elaborately engraved door of house
Reich verzierte Tür eines Wohnhauses
Deur van een woning met rijk beeldhouwwerk
Puerta de la vivienda ricamente esculpida

Dogon, Mali Dogón, Malí	Door of a granary with depiction of mythical ancestors, wood Ante einer Kornspeichertür mit Darstellung der Ahnen, Holz Deur tot deur van de schuur met de vertegenwoordiging van de voorouders, hout Hoja de puerta de granero con representación de antepasados, madera	Dallas Museum of Art, Dallas	Dogon, Mali Dogón, Malí	Granary door, wood Tür eines Getreidespeichers, Holz Deur van een graanschuur, hout Puerta de granero, madera
◄ Dogon, Mali Dogón, Malí	Door of a granary with depiction of mythical ancestors, wood Ante einer Kornspeichertür mit Darstellung der Ahnen, Holz Deur tot deur van de schuur met de vertegenwoordiging van de voorouders, hout Hoja de puerta de granero con representación de antepasados, madera	Ernst Anspach Collection, New York		

◀ **Dogon, Mali**   Granary door with lock, wood
Dogón, Malí   Tür eines Getreidespeichers mit Verriegelung, Holz
                     Deur van een graanschuur met vergendeling, hout
                     Puerta de granero con cerradura, madera

Dogon, Mali   Lock, wood and metal   h 33,2 cm / 13 in.
Dogón, Malí   Schloss, Holz und Metall   Musée du quai Branly, Paris
                     Slot, hout en metaal
                     Cerradura, madera y metal

This structure is the symbolic 'head' of the village and is where the elders meet. It is the place of 'seated discussions' or thoughtful conversation. Women are not allowed here, but they are symbolically present in the figures carved on the posts.

Stellt symbolisch den "Kopf" der Siedlung dar und ist der Ort, wo sich die die Alten treffen. Es ist auch der Ort des "sitzenden Wortes", der überlegten Konversation. Frauen haben keinen Zugang, sind aber symbolisch in den in die Pfähle eingearbeiteten Figuren anwesend.

Symbolisch gebouwd aan het "hoofd" van het dorp en is de plaats waar de dorpoudsten zich verzamelen. Is de plaats van het "gezeten woord", van het bewuste gesprek. Vrouwen hebben hier geen toegang, maar zijn symbolisch aanwezig in gesneden figuren in de zuilen.

Constituye simbólicamente la "cabeza" de la aldea y es el lugar en el cual se reúnen los ancianos. Es el lugar de la "palabra sentada", de la conversación meditada. Las mujeres no tienen acceso, pero están presentes simbólicamente en las figuras esculpidas en los palos.

Dogon, Mali / Dogón, Malí
Post from *Togu Na* Men's House, wood
Pfeiler des Hauses der Männer (*to guna*), Holz
Pijler van het huis van de mannen (*to guna*), hout
Pilar de la casa de los hombres (*to guna*), madera
h 270 cm / 10.6 in.
Musée du quai Branly, Paris

Dogon, Mali / Dogón, Malí
Pillar of Men's House (*Togu Na*)
with female figure, wood
Säule des Männerhauses (*to guna*)
mit Frauenfigur, Holz
Pilaar van het mannenhuis (*to guna*)
met vrouwenfiguur, hout
Pilar de la casa de los hombres (*to guna*)
con figura femenina, madera
1800–2000
h 189 cm / 74.5 in.
The Metropolitan Museum of Art, New York

▶ **Dogon, Mali / Dogón, Malí**
Togu Na Men's House
Haus der Männer (*to guna*)
Mannenhuis (*to guna*)
Casa de los hombres (*to guna*)

Dogon, Mali / Dogón, Malí
Engraved *to guna* pillar in the village of Kundu
Geschnitzte Säule eines *to guna* im Dorf Kundu
Pilaar met beeldhouwwerk van een *to guna*
in het dorp Kundu
Pilar esculpido de *to guna* en el poblado de Kundu

◀ **Dogon, Mali / Dogón, Malí**
To guna in a village
To guna in einem Dorf
To guna in een dorp
To guna en un poblado

Dogon, Mali / Dogón, Malí
Pair of seated figures, wood and metal
Sitzendes Paar, Holz und Metall
Zittend stel, hout en metaal
Pareja sentada, madera y metal
h 73 cm / 28.7 in.
The Metropolitan Museum of Art, New York

◀ **Dogon, Mali / Dogón, Malí**
Figure with arms raised, wood with sacrificial patina
Figur mit erhobenen Armen, Holz mit Opferpatina
Figuur met opgeheven armen, hout met offer patina
Figura con brazos levantados, madera con pátina de
sacrificio
1500–2000
h 210,5 cm / 82.7 in.
The Metropolitan Museum of Art, New York

◀ **Dogon, Mali / Dogón, Malí**
Figure with arm raised, wood with sacrificial patina
Figur mit erhobenen Armen, Holz mit Opferpatina
Figuur met opgeheven armen, hout met offer patina
Figura con brazo levantado, madera con pátina de
sacrificio
1400–1620
h 48 cm / 18.9 in.
Musée du quai Branly, Paris

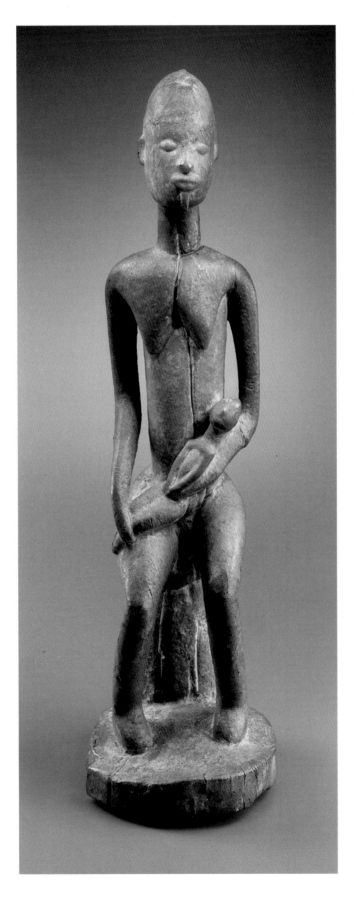

Dogon, Mali / Dogón, Malí
Maternity figure, wood
Mutterschaft, Holz
Moederschap, hout
Maternidad, madera
1300–1400
h 75 cm / 29.5 in.
Musée du quai Branly, Paris

Dogon, Mali / Dogón, Malí
Zoomorphic mask,
wood, vegetable fibers,
and pigments
Zoomorphe Maske,
Holz, Pflanzenfasern und Pigmente
Zoomorf masker,
hout, plantaardige vezels en pigmenten
Máscara zoomorfa,
madera, fibras vegetales y pigmentos
ante 1931
h 54 cm / 21.3 in.
Musée du quai Branly, Paris

◄ **Dogon, Mali / Dogón, Malí**
Sirige mask dancers
Sirige Maskentanz
Dans van de Sirige maskers
Danza de máscaras sirige

Dogon, Mali / Dogón, Malí
Dancers
Tänzer
Dansers
Bailarines

Dogon, Mali / Dogón, Malí
Yasigine anthropomorphic mask, wood and vegetable fibres
Anthropomorphe Maske (*Yasigine*), Holz und Pflanzenfasern
Antropomorf masker (*Yasigine*), hout en plantaardige vezels
Máscara antropomorfa (*Yasigine*), madera y fibras vegetales
ante 1931
h 138 cm / 54.37 in.
Musée du quai Branly, Paris

▌ *The cross-shaped structure symbolises the creation deity in the act of pointing to the sky with one hand and to the earth with the other; this takes on different meanings, depending on the various levels of initiation within the Awa mask society.*
▌ *Die Struktur und die Form des Kreuzes symbolisiert die schöpfende Gottheit, während sie mit einer Hand auf den Himmel und mit der anderen auf die Erde weist. Es hat auf jeden Fall verschiedene Bedeutungen in Bezug auf die verschiedenen Initiationsebenen der Maskengesellschaft awa inne.*
▌ *De structuur in de vorm van een kruis symboliseert de scheppende godheid die met de ene hand naar de hemel wijst en met de andere naar de aarde; neemt nog andere betekenissen aan in relatie tot verschillende initiatieniveaus van de samenleving van de awa-maskers.*
▌ *La estructura en forma de cruz simboliza la deidad creadora en el acto de indicar con una mano el cielo y con la otra la tierra; de todos modos, asume distintos significados en relación a los diversos niveles iniciáticos de la sociedad de las máscaras awa.*

Dogon, Mali   Dancers with Kanaga masks
Dogón, Malí   Tänzer mit Kanaga-Masken
                         Dansers met Kanaga-maskers
                         Bailarines con máscaras kanaga

Dogon, Mali
Dogón, Malí

Kanaga mask, wood,
vegetable fibre and animal skin
Kanaga-Maske, Holz,
Pflanzenfase und Tierhaut
Kanaga-masker, hout,
plantaardige vezels en dierenhuid
Máscara kanaga, madera,
fibra vegetal y piel animal

1800–2000
h 46 cm / 18.1 in.
The Metropolitan
Museum of Art,
New York

Dogon, Mali
Dogón, Malí

Kanaga mask, wood,
vegetable fibres, and pigments
Kanaga-Maske, Holz,
Pflanzenfasern und Pigmente
Kanaga masker, hout,
plantaardige vezels en pigmenten
Máscara kanaga, madera,
fibras vegetales y pigmentos

1900–1950
h 109,3 cm / 43 in.
Yale University
Art Gallery,
New Haven

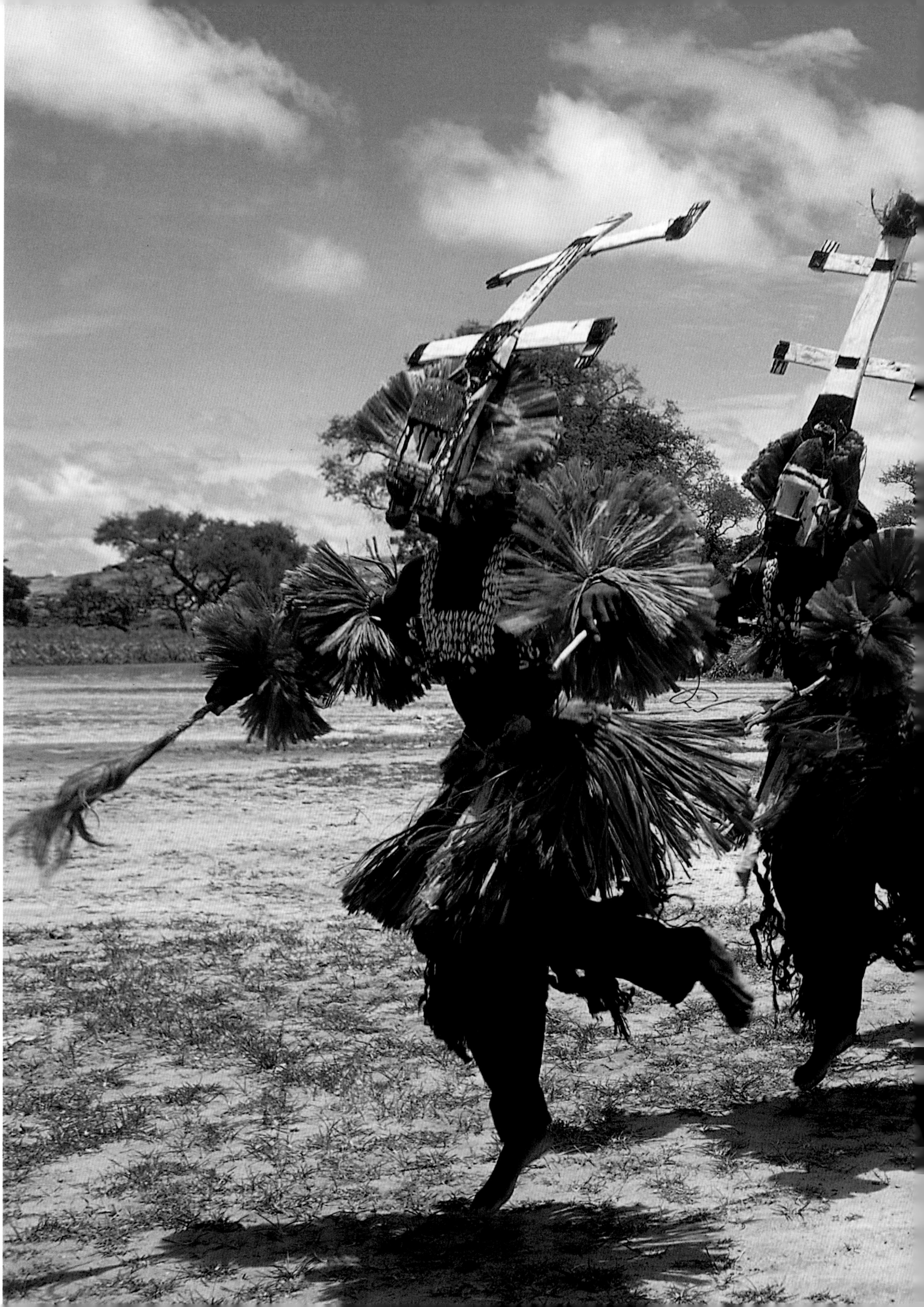

Dogon, Mali
Dogón, Malí
Dancers with Kanaga Masks
Tänzer mit Kanaga-Masken
Dansers met kanaga-maskers
Bailarines con máscaras kanaga

Dogon, Mali
Dogón, Malí

Ritual Vessel, Horse with Figures (*Aduno Koro*), wood
Kultbehältnis mit Pferdekopf (*aduno koro*), Holz
Rituele container met paardenhoofd (*aduno koro*), hout
Recipiente ritual con cabeza de caballo (*aduno koro*), madera

1500–1900
h 236,2 cm / 93 in.
The Metropolitan
Museum of Art,
New York

Dogon, Mali
Dogón, Malí

Equestrian figure, iron
Reiterfigur, Eisen
Paardensportfiguur, ijzer
Figura ecuestre, hierro

1500–1800
Dallas Museum of Art,
Dallas

Dogon, Mali / Dogón, Malí
Lidded Vessel with Equestrian
Figure, wood and metal
Behältnis mit Reiterfigur
auf dem Deckel, Holz und Metall
Container met hippische figuur
op de deksel, hout en metaal
Recipiente con figura ecuestre
sobre la tapa, madera y metal
1500–2000
h 85,7 cm / 33.7 in.
The Metropolitan Museum of Art,
New York

Pre-Dogon Art, Mali
Prä-Dogon-Kunst, Mali
Pre-Dogon-kunst, Mali
Arte pre-Dogón, Malí
Androgynous anthropomorphic statue, wood
Anthropomorphe androgyne Statue, Holz
Antropomorf androgyn beeld, hout
Estatua antropomorfa andrógena, madera
900–1100
Musée du quai Branly, Paris

Dogon or Tellem, Mali / Dogon oder Tellem, Mali
Dogon of Tellem, Mali / Dogón o Tellem, Malí
Double figure, wood
Doppelfigur, Holz
Dubbele figuur, hout
Figura doble, madera
1500–1950
h 73,7 cm / 29.1 in.
The Metropolitan Museum of Art, New York

Dogon, Mali / Dogón, Malí
Pair of *balafon* musicians, wood and metal
Zwei *balafon*-Spieler, Holz und Metall
Stel *balafon*-spelers, hout en metaal
Pareja de músicos que tocan el *balafon*,
madera y metal
1700–1820
h 39,3 cm / 15.5 in.
The Metropolitan Museum of Art, New York

Maître des yeux obliques, Malí / Mali
Anthropomorphic statuette, wood and metal
Anthropomorphe Statue, Holz und Metall
Antropomorf beeldje, hout en metaal
Estatua antropomorfa, madera y metal
1600–1800
h 59 cm / 23.3 in.
Musée du quai Branly, Paris

▶ **Dogon, Mali / Dogón, Malí**
Female figure with pestle and mortar, wood and iron
Frauenfigur mit Mörser und Stößel, Holz und Eisen
Vrouwenfiguur met stamper en vijzel, hout en ijzer
Figura femenina con mortero y pilón, madera y hierro
1500–1920
h 22 cm / 8.7 in.
The Metropolitan Museum of Art, New York

Dogon, Mali / Dogón, Malí
Ritual scepter, iron
Rituelles Zeichen, Eisen
Ritueel teken, ijzer
Enseña ritual, hierro
h 21 cm / 8.2 in.
Collezione Augusto Panini, Como

◀ **Dogon or Tellem, Mali**
Dogon oder Tellem, Mali
Dogon of Tellem, Mali
Dogón o Tellem, Malí
Hogon funerary headrest for priest, wood
Grabkopfstütze eines Priesters (*hogon*), Holz
Hoofdsteun begrafenis van een priester (*hogon*), hout
Apoyacabezas funerario de sacerdote (*hogon*), madera
h 32 cm / 12.6 in.
Musée du quai Branly, Paris

Dogon, Mali   Divination table   Dogon, Mali   Ceremonial stool belonging to a religious chief, wood   h 39,5 cm / 15.6 in.
Dogón, Malí   Wahrsagetafel   Dogón, Malí   Zeremonienhocker eines religiösen Oberhauptes, Holz   Musée du quai Branly,
                     Divinatietabel   Ceremoniële taboeret van een religieuze leider, hout   Paris
                     Mesa de adivinación   Banquillo de ceremonia perteneciente a un jefe religioso, madera

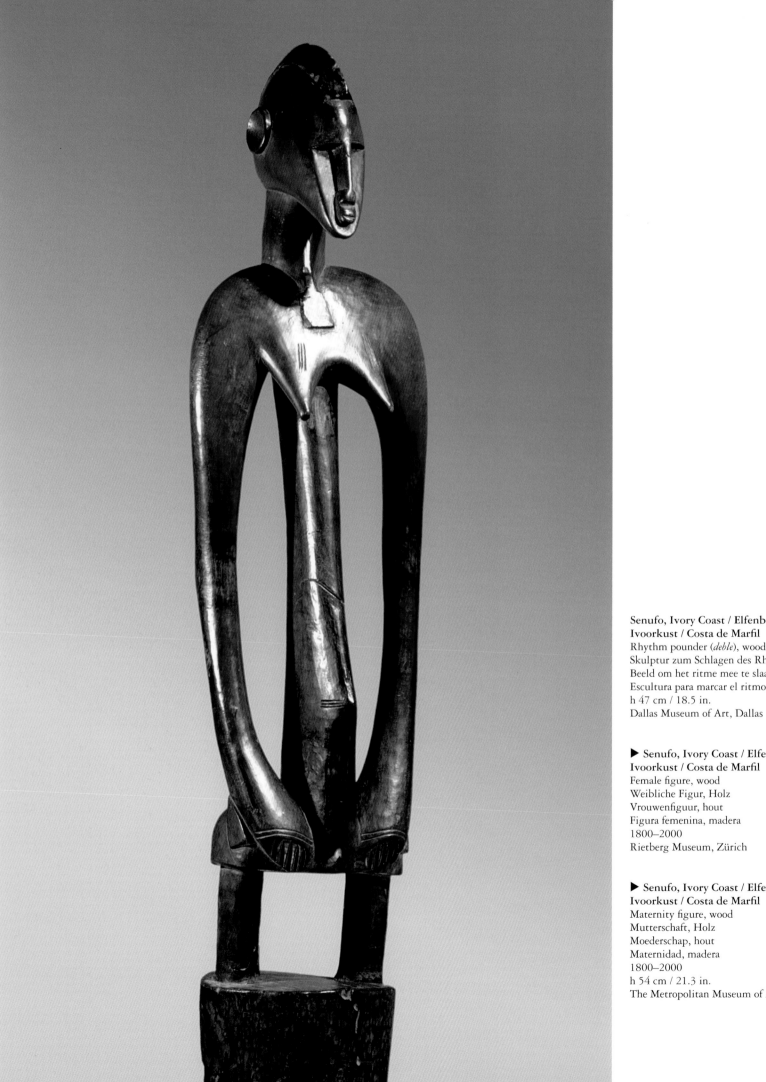

**Senufo, Ivory Coast / Elfenbeinküste
Ivoorkust / Costa de Marfil**
Rhythm pounder (*deble*), wood
Skulptur zum Schlagen des Rhythmus (*deble*), Holz
Beeld om het ritme mee te slaan (*deble*), hout
Escultura para marcar el ritmo (*deble*), madera
h 47 cm / 18.5 in.
Dallas Museum of Art, Dallas

▶ **Senufo, Ivory Coast / Elfenbeinküste
Ivoorkust / Costa de Marfil**
Female figure, wood
Weibliche Figur, Holz
Vrouwenfiguur, hout
Figura femenina, madera
1800–2000
Rietberg Museum, Zürich

▶ **Senufo, Ivory Coast / Elfenbeinküste
Ivoorkust / Costa de Marfil**
Maternity figure, wood
Mutterschaft, Holz
Moederschap, hout
Maternidad, madera
1800–2000
h 54 cm / 21.3 in.
The Metropolitan Museum of Art, New York

Senufo, Ivory Coast / Elfenbeinküste
Ivoorkust / Costa de Marfil
Seated female figure surmounted by a bowl and a bird, wood
Behältnis mit weiblicher Figur am Boden und Vogel auf dem Deckel, Holz
Container met de vrouwelijke figuur op de basis en vogel op de deksel, hout
Recipiente con figura femenina en la base y pájaro sobre la tapa, madera
Ernst Anspach Collection, New York

◀ **Senufo, Ivory Coast / Elfenbeinküste**
Ivoorkust / Costa de Marfil
Equestrian figure used by diviners (*sandogo*), wood
Von den Wahrsagerinnen verwendete Figur (*sandogo*), Holz
Paardensportfiguur gebruikt door waarzegsters (*sandogo*), hout
Figura ecuestre usada por las adivinas (*sandogo*), madera
1800
Dallas Museum of Art, Dallas

Senufo, Ivory Coast   Kalao large bird, wood   1800–2000
Elfenbeinküste   Kalao, der große Vogel, Holz   Nationalgalerie,
Ivoorkust   Grote vogel kalao, hout   Museum Berggruen,
Costa de Marfil   Gran pájaro kalao, madera   Berlin

Senufo, Ivory Coast
Elfenbeinküste
Ivoorkust
Costa de Marfil
Mask with crest, wood
Maske mit Helm, Holz
Helmmasker, hout
Máscara con adorno,
madera
h 145 cm / 57.1 in.
Ethnologisches Museum,
Berlin

❚ *This mask represents the ideal of feminine beauty and when it appears in pairs during Poro society initiation rites, it recalls the act of the creation of man.*
❚ *Diese Maske stellt das weibliche Schönheitsideal dar und wenn sie im Paar während den Initiationsriten der Poro erscheint, verweist sie auf den Moment der Erschaffung des Menschen.*
❚ *Dit masker staat voor het ideaal van vrouwelijke schoonheid en wanneer het verschijnt in paren tijdens de initiatierieten van de Poro-samenleving doet het denken aan de schepping van de mens.*
❚ *Esta máscara representa el ideal de la belleza femenina y cuando aparece en pareja durante los ritos de iniciación de la sociedad Poro rememora el evento de la creación del hombre.*

Senufo, Ivory Coast / Elfenbeinküste
Ivoorkust /Costa de Marfil
Kplelye mask, wood and vegetable fibres
Kplelye-Maske, Holz und Pflanzenfasern
Kplelye-masker, hout en plantaardige vezels
Máscara *kplelye*, madera y fibras vegetales
h 35,9 cm / 14.2 in.
The Metropolitan Museum of Art, New York

◀ **Senufo, Ivory Coast / Elfenbeinküste**
Ivoorkust /Costa de Marfil
Zoomorphic mask against witchcraft (*kunugbaha*), wood
Zoomorphe Maske gegen Hexerei (*kunugbaha*), Holz
Zoomorf masker tegen hekserij (*kunugbaha*), hout
Máscara zoomorfa contra la brujería (*kunugbaha*), madera
1800–1900
Dallas Museum of Art, Dallas

**Senufo, Ivory Coast / Elfenbeinküste
Ivoorkust / Costa de Marfil**
Kplelye mask for male Poro Society ceremonies
Kplelye-Maske für Zeremonien des Männderbundes Poro
Kplelye-masker voor ceremoniën
van de mannelijke Poro-gemeenschappen
Máscara *kplelye* para ceremonias
de la sociedad masculina Poro
Entwistle Gallery, London

▶ **Senufo, Ivory Coast / Elfenbeinküste
Ivoorkust / Costa de Marfil**
Dance mask, wood
Tanzmaske, Holz
Dansmasker, hout
Máscara de baile, madera
1960
h 25 cm / 9.8 in.
Musée du quai Branly, Paris

Senufo, Ivory Coast / Elfenbeinküste
Ivoorkust / Costa de Marfil
Kplelye mask for male Poro Society ceremonies
Kplelye-Maske für Zeremonien des
Männderbundes Poro
Kplelye-masker voor ceremoniën
van de mannelijke Poro-gemeenschappen
Máscara *kplelye* para ceremonias
de la sociedad masculina Poro
Entwistle Gallery, London

◀ **Senufo, Ivory Coast**
Elfenbeinküste
Ivoorkust
Costa de Marfil
Kplelye masks
Kplelye-Masken
Kplelye-masker
Máscaras *kplelye*
Ernst Anspach Collection, New York

Senufo, Ivory Coast
Elfenbeinküste
Ivoorkust
Costa de Marfil

Costume worn by a mask wearer in the Poro
Society, cotton and paint
Kostüm eines Maskenträgers des Poro-Bundes,
Baumwolle und Pigmente
Kostuum van een gemaskerde van de Poro-
gemeenschap, katoen en pigmenten
Prenda en tejido vestida
por el portador de una máscara
de la sociedad Poro, algodón y pigmentos

Museum für
Völkerkunde,
Berlin

Senufo, Ivory Coast
Elfenbeinküste
Ivoorkust
Costa de Marfil

Painted cloth Poro society costume, cotton and
pigments
Von der Poro-Gesellschaft bemalte rituelle
Kleidung, Baumwolle und Pigmente
Ritueel kostuum beschilderd van de Poro
samenleving, katoen en pigment
Traje ritual pintado de la sociedad Poro, algodón y
pigmentos

Museum für
Völkerkunde,
Berlin

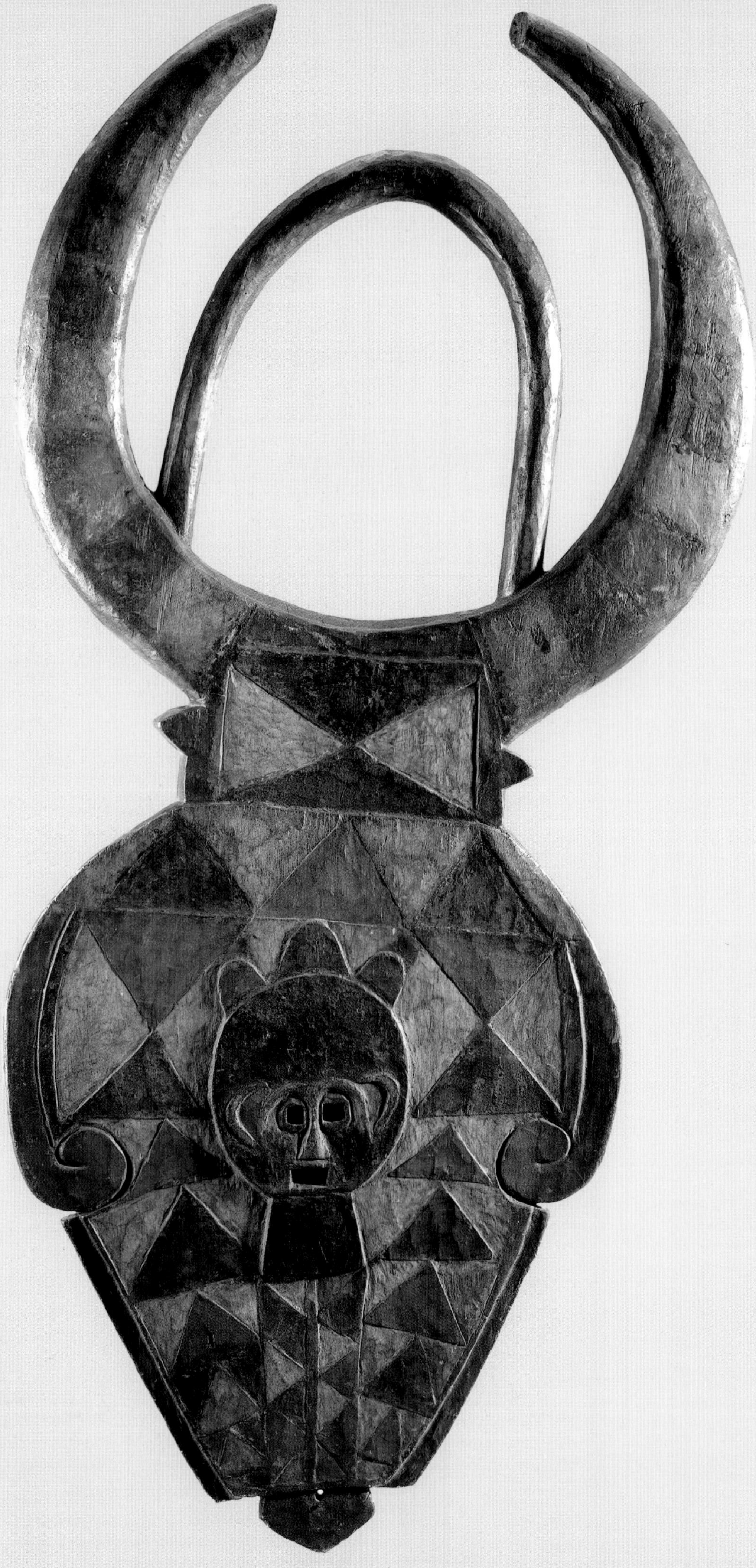

Nafana, Ivory Coast / Elfenbeinküste
Ivoorkust / Costa de Marfil
Bedu mask for dances which took place
to celebrate agriculture, wood and paint
Bedu-Maske für Tänze bei Erntefesten, Holz und Pigmente
Bedu-masker voor dansen ter gelegenheid van boerenfeesten,
hout en pigmenten
Máscara bedu para bailes que se celebraban
en ocasión de las fiestas agrícolas, madera y pigmentos
h 144 cm / 56.8 in.
Musée du quai Branly, Paris

◄ **Nafana, Ivory Coast / Elfenbeinküste**
Ivoorkust / Costa de Marfil
Bedu mask, wood and pigments
Bedu-Maske, Holz und Pigmente
Bedu masker, hout en pigmenten
Máscara bedu, madera y pigmentos
h 145 cm / 57.1 in.
British Museum, London

These statues are preserved in sanctuaries and are carved according to the instructions of priests and soothsayers, often following a dream and based on the will of the gods. The gods themselves dictate the shapes that the statues should take on.

Diese Statuen werden in Heiligtümern aufbewahrt. Sie werden nach Anleitung von Priestern und Wahrsagern ausgearbeitet, oftmals in Folge eines Traums, und ziehen das Wohlwollen der Gottheiten an. Es sind die Götter selbst, die den Menschen die Formen, die Statuen annehmen müssen, vorschreiben.

Deze beelden worden bewaard in schrijnen en zijn gesneden op aanwijzing van priesters en waarzeggers, vaak na een droom en moet de goede wil van de goden oproepen. Het zijn de goden zelf die aan de mensen dicteren welke.

Estas estatuas están conservadas en santuarios y son esculpidas bajo prescripción de sacerdotes y adivinos, a menudo luego de un sueño, y recogen las voluntades de las deidades. Son los mismos dioses quienes dictan a los hombres las formas que deben asumir las estatuas.

Lobi, Burkina Faso
Anthropomorphic head, wood
Anthropomorpher Kopf, Holz
Antropomorf hoofd, hout
Cabeza antropomorfa, madera
Friede Collection, New York

Nuna, Burkina Faso   Female figure, wood   1700–1800
Weibliche Figuren, Holz   h 115 cm / 45.4 in.
Vrouwfiguur, hout   Musée du quai
Figura femenina, madera   Branly, Paris

Thyohepte Pale, Burkina Faso
Altar figures (*Thilbuu*), wood
Altarfiguren (*Thilbuu*), Holz
Altaarfiguuren (*Thilbuu*), hout
Figuras de altar (*Thilbuu*), madera
1900–2000
h 22,3; 23,6 cm / 8.7; 9.3 in.
Musée du quai Branly, Paris

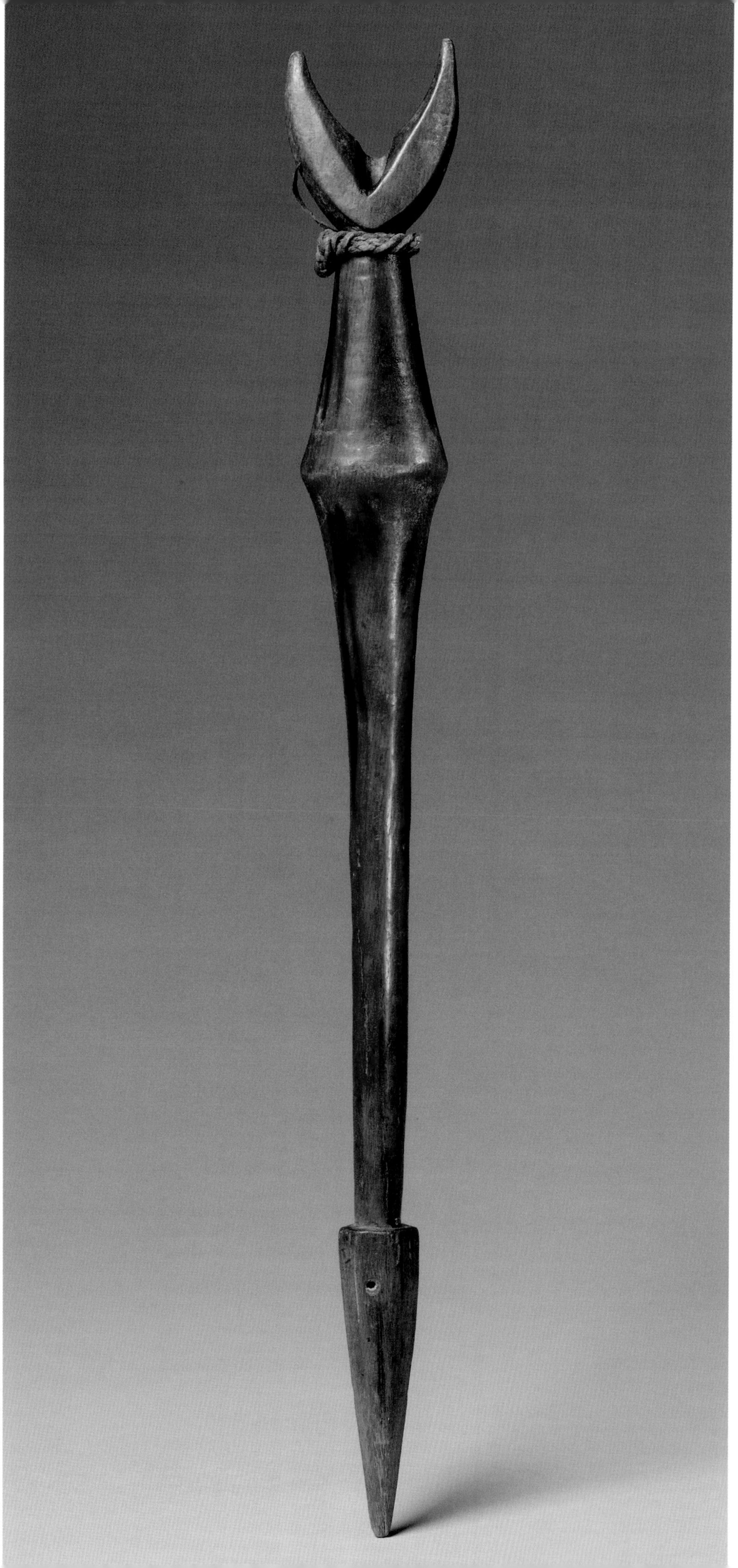

Lobi, Burkina Faso
Warrior's flute, wood, leather, and fabric
Kriegerflöte, Holz, Leder und Stoff
Fluit van een strijder, hout, leder en stof
Flauta de guerrero, madera, cuero y tela
ca. 1900
h 61,2 cm / 24.1 in.
Musée du quai Branly, Paris

Lobi, Burkina Faso   Bracelet, ivory   h 11,9 cm / 4.7 in.
Armband, Elfenbein   Musée du quai
Armband, ivoor   Branly, Paris
Pulsera, marfil

Bwa, Burkina Faso   Mask of water and air spirit (*Sumbu*), wood, vegetable fibers, and pigments   h 248 cm / 97.7 in.
                         Maske des Wasser- und Luftgeistes (*sumbu*), Holz, Pflanzenfasern und Pigmente   Musée du quai Branly, Paris
                         Masker van de watergeest of luchtgeest (*sumbu*), hout, plantaardige vezels en pigmenten
                         Máscara de espíritu de las aguas o del aire (*sumbu*), madera, fibras vegetales y pigmentos

◀ Bwa, Burkina Faso   *Nwantantay* mask, wood, vegetable fibres and paint   1800–1950
                         Nwantantay-Maske, Holz, Pflanzenfasern und Pigmente   h 182,9 cm / 72.1 in.
                         Nwantantay-masker, hout, plantaardige vezels en pigmenten   The Metropolitan Museum of Art, New York
                         Máscara *nwantantay*, madera, fibras vegetales y pigmentos

Bwa, Burkina Faso
Sparrowhawk mask (*Duho*), wood,
vegetable fibers, and pigments
Sperbermaske (*duho*), Holz,
Pflanzenfasern und Pigmente
Haviksmasker (*duho*), hout,
plantaardige vezels en pigmenten
Máscara gavilán (*duho*), madera,
fibras vegetales y pigmentos
1800–1920
h 31,4 / 12.3 in
The Metropolitan Museum of Art,
New York

Bwa, Burkina Faso   Seat, wood   1800–1900
                       Sitz, Holz   h 97 cm / 38.2 in.
                       Zetel, hout   Musée du quai Branly, Paris
                       Asiento, madera

Bobo, Burkina Faso
Mask used to invoke
the God *Do*
Maske zur Anrufung
der *Do*-Gottheiten
Masker om de godheid
Do aan te roepen
Máscara utilizada
para invocar al dios *Do*
Private collection
Privatsammlung
Privécollectie
Colección privada

Bobo Fing, Burkina Faso
Antelope shaped mask, wood and pigments
Maske in Antilopenform, Holz und Pigmente
Masker in de vorm van antilope, hout en pigmenten
Máscara en forma de antílope, madera y pigmentos
h 111 cm / 43.7 in.
Musée du quai Branly, Paris

▶ **Bobo, Burkina Faso**
Bolo mask for entertaining, wood, paint and resin
Bolo-Maske zur Unterhaltung,
Holz, Farbpigmente und Harz
Bolo-masker voor vermaak, hout pigmenten en hars
Máscara de entretenimiento *bolo*,
madera, pigmentos y resina
1800–2000
h 42 cm / 16.6 in.
The Metropolitan Museum of Art, New York

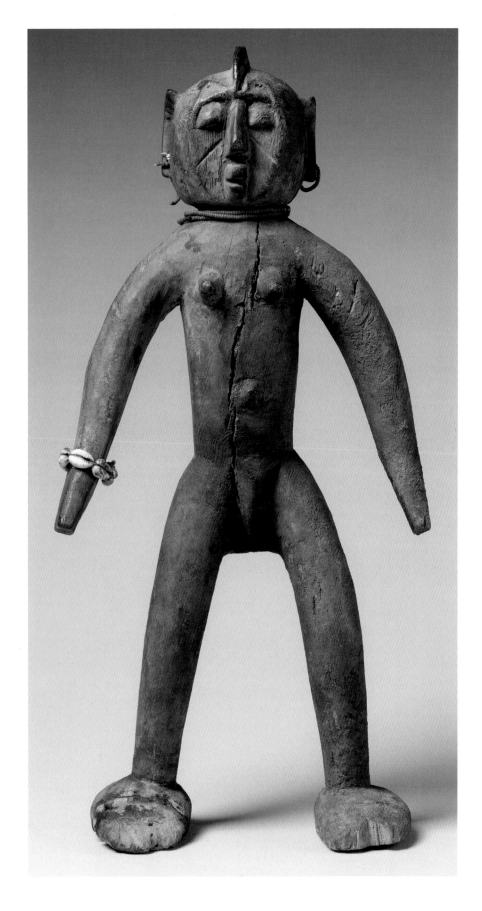

Mossi, Burkina Faso
Karanga zoomorphic mask, wood and pigments
Zoomorphe Karanga-Maske, Holz und Pigmente
Zoomorf karanga-masker, hout en pigmenten
Máscara zoomorfa karanga, madera y pigmentos
1800–1900
h 209 cm / 82.3 in.
Musée du quai Branly, Paris

 **Bobo, Burkina Faso**
Female figure for divination, wood,
cowrie shells, glass pearls, golden earrings
Weibliche Figur für die Wahrsagung, Holz,
Kaurimuscheln, Glasperlen und Goldohrringe
Vrouwelijke figuur voor verafgoding, hout,
kauri schelpen, glazen kralen en gouden oorbellen
Figura femenina para la adivinación, madera,
cauríes, cuentas de vidrio y aretes de oro
h 46 cm / 18.1 in.
Musée du quai Branly, Paris

◀ **Mossi, Burkina Faso**
Mask with female figure (*Karan-Wemba*), wood
Maske mit weiblicher Figur (*karanwemba*), Holz
Masker met vrouwenfiguur (*karanwemba*), hout
Máscara con figura femenina (*karanwemba*), Madera
1800–2000
h 74,9 cm / 29.5 in.
The Metropolitan Museum of Art, New York

Kurumba, Burkina Faso
Mask headdress in the form of an antelope, wood
Helm in Antilopenform, Holz
Antilopen-vormige kuif, hout
Cimera en forma de antílope, madera
Musée National, Bamako

▶ **Kurumba, Burkina Faso**
Crest mask in the shape of an antelope, wood
Maskenhelm in Antilopenform, Holz
Helmmasker in de vorm van een antilope, hout
Máscara con forma de antílope, madera
Musée National, Bamako

Peul artist, Mali / Peul-Künstler, Mali
Peul kunstenaar, Mali/ Artista Peul, Malí
Earrings, gold
Ohrringe, Gold
Oorbellen, goud
Zarcillos, oro
1900-1999
The Newark Museum, Newark

◀ Peul or Fulani woman in traditional dress, Mali
Peul oder Fulani-Frau in traditioneller Kleidung, Mali
Peul of Fulani-vrouw in traditionele kledij, Mali
Mujer peul o fulani vestida de manera tradicional, Malí

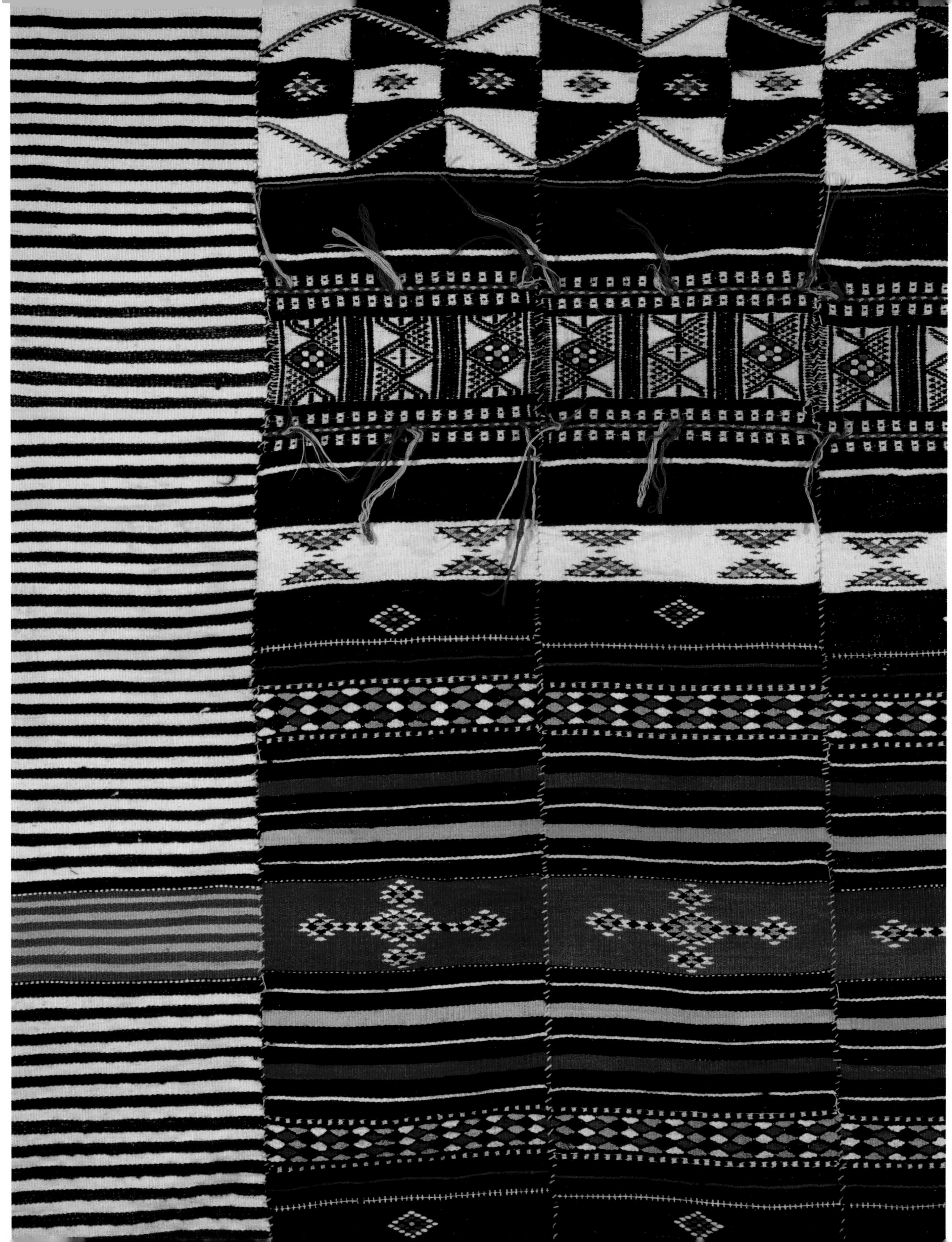

Sheet seller in Mopti, Mali
Deckenverkäufer in Mopti, Mali
Dekenverkoper in Mopti, Mali
Vendedor de mantas de Mopti, Malí

◀ **Peul, Mali / Malí**
Detail of sheet (*Kereka*), wool and cotton
Detail einer Decke (*Kereka*), Wolle und Baumwolle
Detail van een deken (*Kereka*), wol en katoen
Detalle de manta (*Kereka*), lana y algodón
1900–2000
The Newark Museum, Newark

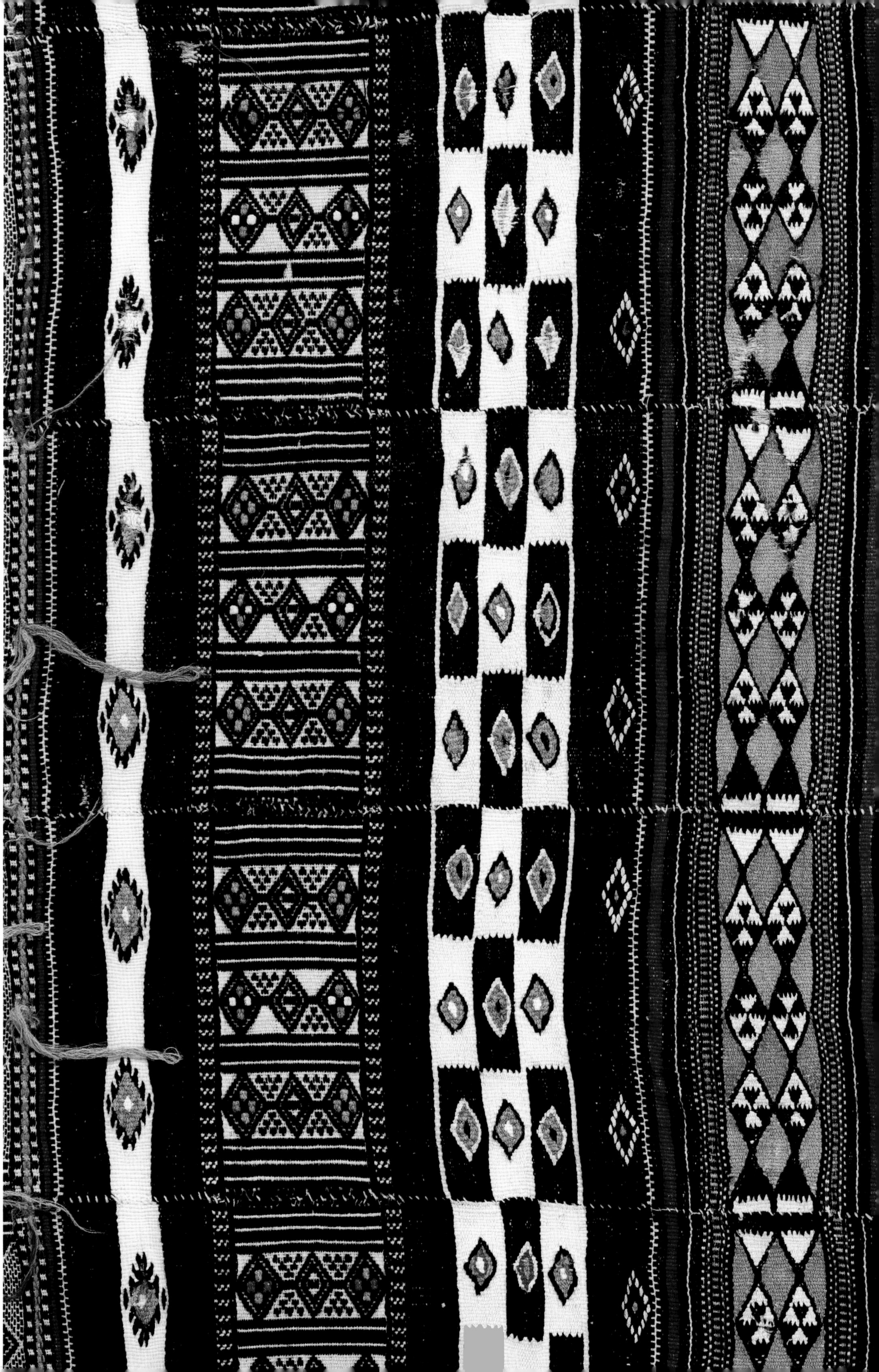

Peul, Mali / Malí
Detail of sheet (*Kereka*), wool and cotton
Detail einer Decke (*Kereka*), Wolle und Baumwolle
Detail van een deken (*Kereka*), wol en katoen
Detalle de manta (*Kereka*), lana y algodón
Musée du quai Branly, Paris

Djenne, Mali / Malí   Anthropomorphic figure, terracotta   1200–1300
                             Anthropomorphe Figur, Terrakotta   h 25,4 cm / 10 in.
                             Antropomorf figuur, terracotta   The Metropolitan Museum of Art,
                             Figura antropomorfa, terracota   New York

❚ *These figures probably represented the heads of ancestors and were placed on altars in the home. The beard, decorations and horse indicate the individual's status. Horses are rare animals south of the Sahara and they are always associated with a position of power.*
❚ *Diese Figuren stellen wahrscheinlich Anführer oder Ahnen dar und waren auf Hausaltären aufgestellt. Bart, Ornamente und Pferd unterstreichen den Rang der Persönlichkeit. Das Pferd ist ein im Süden der Sahara seltenes Tier und es wird daher immer mit Machtpositionen in Verbindung gebracht.*
❚ *Waarschijnlijk geven deze figuren de hoofden of voorouders weer en werden geplaatst op huisaltaren. Baard, versieringen en paard benadrukken de rang van de persoon. Het paard is een zeldzaam dier in het zuiden van de Sahara en zijn aanwezigheid wordt altijd geassocieerd met machtige posities.*
❚ *Estas figuras probablemente representaban jefes o antepasados y eran colocados sobre altares domésticos. Barba, ornamentos y caballo destacan el rango del personaje. El caballo es un animal raro al sur del Sahara y su presencia siempre está asociada a posiciones de poder.*

Djenne, Mali / Malí
Figure of important man, terracotta
Figur der Prominenz, Terrakotta
Edel figuur, terracotta
Figura de un notable, terracota
1300–1400
h 38,1 cm / 15 in.
Detroit Institute of Arts, Detroit

Djenne, Mali / Malí
Horse-mounted figure, terracotta
Reiterfigur, Terrakotta
Ridderfiguur, terracotta
Figura de jinete, terracota
1200–1400
h 44 cm / 17.3 in.
Entwistle Gallery, London

Djenne, Mali / Malí
Horse-mounted figure, terracotta
Reiterfigur, Terrakotta
Ridderfiguur, terracotta
Figura de jinete, terracota
1200–1400
h 44 cm / 17.3 in.
Entwistle Gallery, London

Djenne, Mali / Malí   Seated pair of figures, terracotta   *ca.* 1400
Paar aus sitzenden Figuren, Terrakotta   Entwistle Gallery, London
Stel zittende figuren, terracotta
Pareja de figuras sentadas, terracotta

Djenne, Mali / Malí
Seated anthropomorphic
figure, terracotta
Sitzende anthropomorphe
Figur, Terrakotta
Antropomorf figuur
zittend, terracotta
Figura antropomorfa
sentada, terracota
1200–1400
Entwistle Gallery, London

Djenne, Mali / Malí
Female statuette, terracotta
Frauenstatuette, Terracotta
Vrouwenbeeldje, terracotta
Estatua femenina, terracota

1200–1400
h 37,5 cm / 14.8 in.
Musée du quai
Branly, Paris

Djenne, Mali / Malí
Male figure with snake wrapped
around his chest, terracotta
Männerfigur mit um die Brust
gewundener Schlange, Terracotta
Mannenfiguur met slang rond de borst,
terracotta
Figura de hombre con serpiente
alrededor del busto, terracota

1300–1400
Entwistle Gallery,
London

Bamana, Mali / Malí
Seated male figure, wood
Sitzende männliche Figur, Holz
Mannelijke zittende figuur, hout
Figura masculina sentada, madera
1400–2000
h 89,9 cm / 35.4 in.
The Metropolitan Museum of Art, New York

◀ **Bamana, Mali / Malí**
Seated female figure, wood
Sitzende weibliche Figur, Holz
Vrouwelijke zittende figuur, hout
Figura femenina sentada, madera
1400–2000
h 102,2 / 40.2 in.
The Metropolitan Museum of Art, New York

◀ **Bamana, Mali / Malí**
Seated female figure, wood
Sitzende weibliche Figur, Holz
Vrouwelijke zittende figuur, hout
Figura femenina sentada, madera
1400–2000
h 123,5 cm / 48.6 in.
The Metropolitan Museum of Art, New York

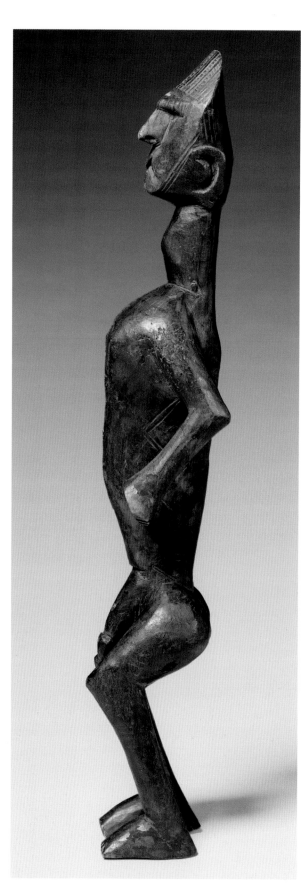

Bamana, Mali / Malí
Female figure (*Nyeleni*), wood and metal
Weibliche Figur (*nyeleni*), Holz und Metall
Vrouwfiguur (*nyeleni*), hout en metaal
Figura femenina (*nyeleni*), madera y metal
1800–2000
h 57,8 x 15,9 x 14,4 cm / 22.7 x 6.2 x 5.6 in.
The Metropolitan Museum of Art, New York

Bamana, Mali / Malí
Male figure, wood
Männliche Figur, Holz
Mannenfiguur, hout
Figura masculina, madera
h 65,5 cm / 25.8 in.
Musée du quai Branly, Paris

▶ **Bamana, Mali / Malí**
Female figure (*Nyeleni*), detail,
wood, cotton, metal, and beads
Weibliche Figur (*nyeleni*), Holz, Detail,
Baumwolle, Metall und Perlen
Vrouwfiguur (*nyeleni*), hout, katoen, detail,
metaal en kralen
Figura femenina (*nyeleni*), madera, detalle,
algodón, metal y cuentas
ante 1935
Musée du quai Branly, Paris

Bamana, Mali / Malí
Female figure, wood
Weibliche Figur, Holz
Vrouwenfiguur, hout
Figura femenina, madera
h 46,5 cm / 18.3 in.
Musée du quai Branly, Paris

Bamana, Mali / Malí
Seated female figure from the initiation
Jo or Gwan Society, wood
Sitzende weibliche Figur des Initiationsbundes
Jo oder Gwan, Holz
Zittende vrouwenfiguur
van de inwijdingsgemeenschap Jo of Gwan, hout
Figura femenina sentada
de la sociedad iniciática Jo o Gwan, madera
h 97,5 cm / 38.4 in.
Musée du quai Branly, Paris

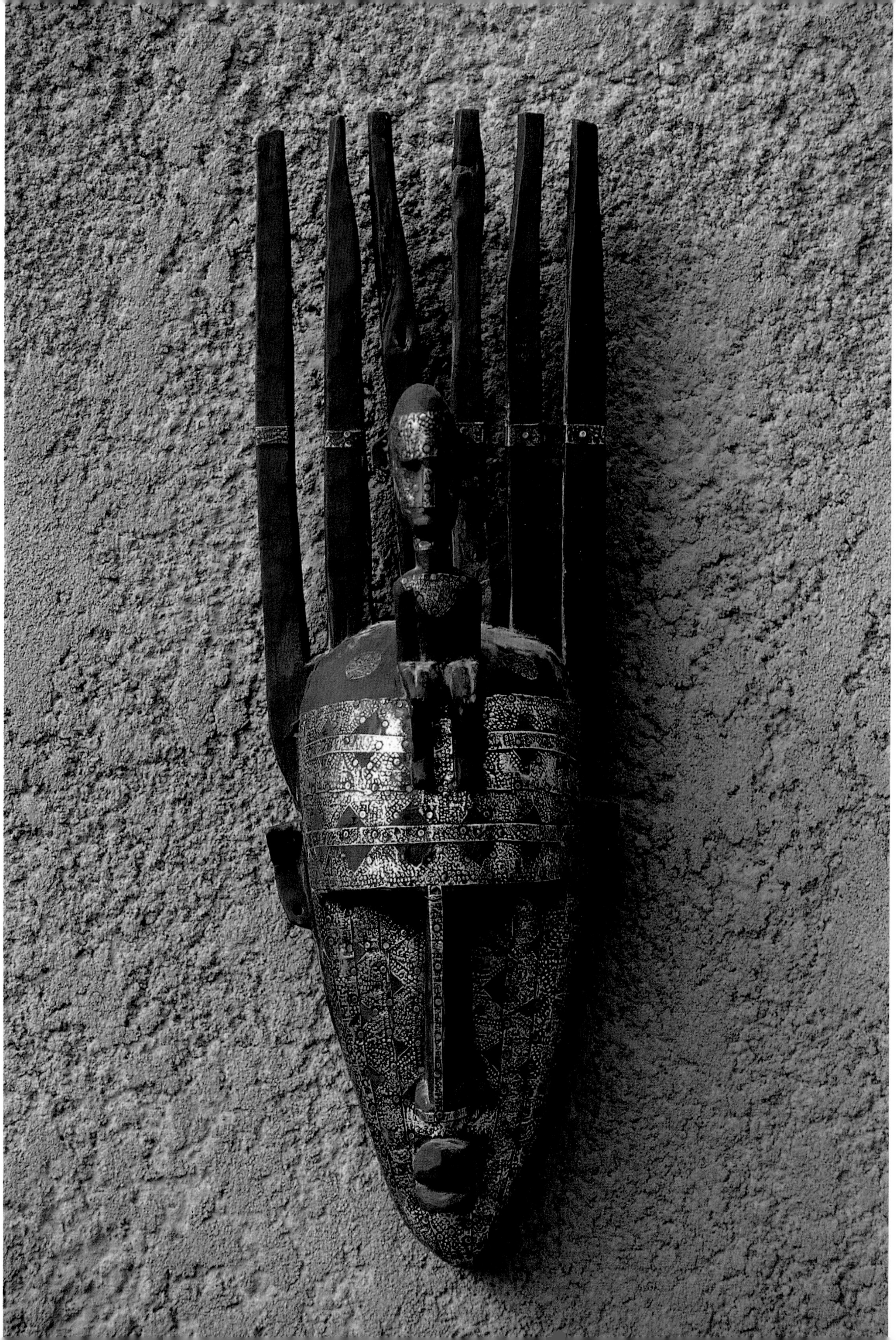

Bamana or Bambara, Mali
Bamana oder Bambara, Mali
Bamana of Bambara, Mali
Bamana o Bambara, Malí
Masks
Masken
Maskers
Máscaras
Musée National, Bamako

❚ *This mask is the image of man just as he left the hands of God. The symbolism refers to the complementary nature of male and female; horns are a fertility symbol, while the nose is seen as an organ of sense and sociality. The Ntomo society includes preadolescents who must undergo the ritual of circumcision.*

❚ *Diese Maske ist das Bild des Menschen, so wie er aus den Händen Gottes hervorkam. Sein Symbolismus verweist auf den Gegensatz von Mann und Frau: die Hörner sind Symbol der Fruchtbarkeit, während die Nase als Organ der Sinne und der Gemeinschaft gesehen wird. Der Bund 'ntomo vereint die Jugendlichen, die sich dem Beschneidungsritus stellen müssen.*

❚ *Dit masker is het beeld van de mens zoals hij wordt losgelaten uit de hand van God. De symboliek verwijst naar de complementariteit tussen man en vrouw; de hoorns zijn een symbool van vruchtbaarheid, terwijl de neus wordt gezien als het orgaan van het sociale gevoel. De vereniging 'ntomo verzamelt jongeren die een besnijdenis moeten ondergaan.*

❚ *Esta máscara es la imagen del hombre tal como salió de las manos de Dios. Su simbolismo remite a la complementariedad entre hombre y mujer; los cuernos son símbolo de fertilidad, mientras la nariz se ve como el órgano del sentimiento y de lo social. La asociación 'ntomo reúne a los preadolescentes que deben afrontar el rito de la circuncisión.*

Bamana, Mali / Malí
Kore society initiation hyena mask, wood
Lena-Maske der Stammesgesellschaft Kore, Holz
Hyenamasker van de initiatiesamenleving Kore, hout
Máscara hiena de la sociedad iniciática Kore, madera
ante 1932
h 46 cm / 18.1 in
Musée du quai Branly, Paris

▶ **Bamana, Mali / Malí**
Ntomo society initiation mask,
wood, cowries, animal hair
Maske der Stammesgesellschaft Ntomo,
Holz, Kauri, Tierhaare
Masker van de initiatiesamenleving
Ntomo, hout, cauri schelpen, dierlijk haar
Máscara de la sociedad iniciática
Ntomo, madera, cauríes, pelo animal
h 66 cm / 26 in.
Musée du quai Branly, Paris

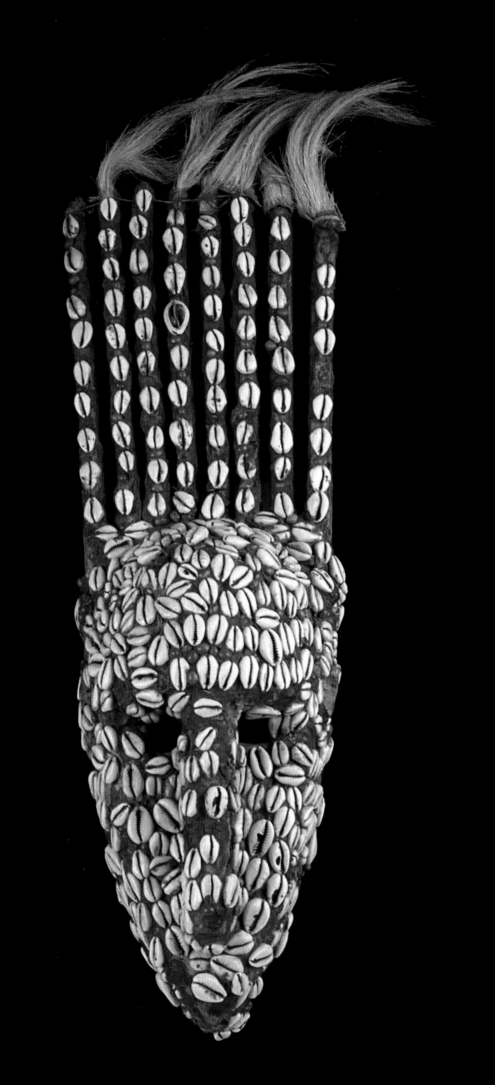

These masks are used in agricultural rituals and refer to the antelope, aardvark, and pangolin. The curves are reminiscent of the bending of stalks in the wind, the growth of plants, and the work of the farmers.

Diese Masken werden in den landwirtschaftlichen Riten verwendet und haben ihre Formen von der jungen Antilope, vom Erdferkel und vom Pangolin. Die krummen Formen erinnern an das Biegen von Halmen im Wind, an das Wachstum der Pflanzen und an die Arbeit des Bauern.

Deze maskers worden gebruikt bij landbouwrituelen en lenen hun vormen van het merrieveulen van de antilope, het aardvarken en het schubdier. De gebogen vormen doen denken aan het buigen van de stengels in de wind, de groei van planten en het werk van de boer.

Estas máscaras son usadas en los ritos agrícolas y toman sus formas del antílope caballo, del oricteropo y del pangolín. Las formas curvadas hacen referencia a los tallos que se doblan por el viento, al crecimiento de las plantas y al trabajo del campesino.

Bamana, Mali / Malí
Zoomorphic headdress of Tyi-Wara society, wood
Zoomorpher Helm der Gesellschaft Tyi-Wara, Holz
Zoomorfe helm van de Tyi-Wara samenleving, hout
Cimera zoomorfa de la sociedad Tyi-Wara, madera
h 75,5 cm / 29.7 in.
Musée du quai Branly, Paris

▶ **Bamana, Mali / Malí**
Zoomorphic headdress of Tyi-Wara society, wood
Zoomorpher Helm der Gesellschaft Tyi-Wara, Holz
Zoomorfe helm van de Tyi-Wara samenleving, hout
Cimera zoomorfa de la sociedad Tyi-Wara, madera
h 87 cm / 34.2 in.
Musée du quai Branly, Paris

Bamana, Mali / Malí
Zoomorphic headdress of Tyi-Wara society, wood
Zoomorpher Helm der Gesellschaft Tyi-Wara, Holz
Zoomorfe helm van de Tyi-Wara samenleving, hout
Cimera zoomorfa de la sociedad Tyi-Wara, madera
h 43,5 cm / 17.1 in.
Musée du quai Branly, Paris

Bamana, Mali / Malí
Zoomorphic headdress of Tyi-Wara society, wood
Zoomorpher Helm der Gesellschaft Tyi-Wara, Holz
Zoomorfe helm van de Tyi-Wara samenleving, hout
Cimera zoomorfa de la sociedad Tyi-Wara, madera
h 40,6 cm / 16 in.
Musée du quai Branly, Paris

▶ **Bamana, Mali / Malí**
Boli altar figure for the Kono society,
earth, beeswax, coagulated blood
Altarfigur (*boli*) der Gesellschaft Kono,
Erde, Bienenwachs, geronnenes Blut
Altaarfiguur (*boli*) van de Kono samenleving,
aarde, bijenwas, gestold bloed
Figura de altar (*boli*) de la sociedad Kono,
barro, cera de abejas, sangre coagulada
h 44 cm / 17.3 in.
Musée du quai Branly, Paris

Bamana, Mali
Malí

Bogolan cloth, cotton
Mit Reserve bedruckter Stoff (*bogolan*), Baumwolle
Weefsel afgedrukt op reserve (*bogolan*), katoen
Tejido estampado por reserva (*bogolan*), algodón

138,5 x 86,5 cm
54.5 x 34 in.
Musée du quai Branly,
Paris

▶ Bamana, Mali
Malí

Detail of skirt in *Bogolan* fabric, cotton
Detail eines gewebten Rockes aus *Bogolan*-Gewebe,
Baumwolle
Detail van rok van *Bogolan*-weefsel, katoen
Detalle de falda de tela *Bogolan*, algodón

1985
The Newark Museum,
Newark

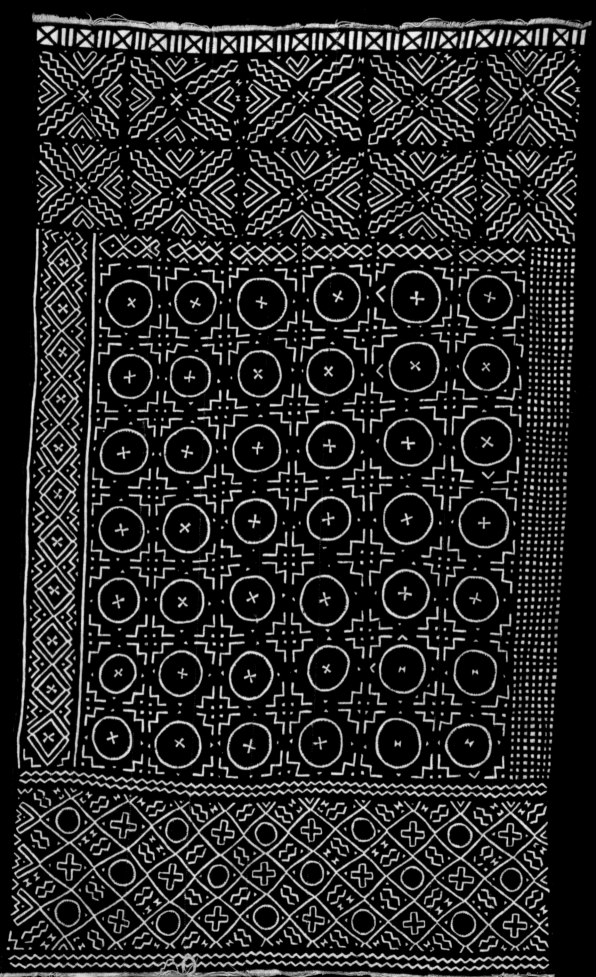

Koma, Ghana
Anthropomorphic
four-footed figure,
terracotta
Anthropomorpher
Vierfüßler, Terrakotta
Antropomorfe
viervoeter, terracotta
Cuadrúpedo
antropomorfo,
terracota
h 25 cm / 9.8 in.
Private collection
Private Sammlung
Privécollectie
Colección privada

Koma, Ghana	Anthropomorphic funeral figure, terracotta	1200–1600
	Anthropomorphe Begräbnisfigur, Terracotta	h 28,5 cm / 11.3 in.
	Antropomorfe rouwfiguur, terracotta	Musée du quai Branly,
	Figura antropomorfa fúnebre, terracota	Paris

Koma, Ghana	Seated figure, terracotta	1300–1600
	Sitzende Figur, Terrakotta	h 24 cm / 9.4 in.
	Zittende figuur, terracotta	Collezione Fernando Mussi,
	Figura sentada, terracotta	Monza

Akan art

Some of the Akan peoples who inhabit the territories between Ghana and the Ivory Coast (the Ashanti, the Fante, the Baulé, the Abron and the Anyi), developed relationships through their artistic expression, for example the Ashanti and the Baulé. But while the Ashanti provided their community with the constitution of a monarchy (between the 17th and 18th century), the Baulé came together through the formation of more democratic governments which were based on the moral values of the individual and society. The Baulé started using masks thanks to their exposure to the populations of the Ivory Coast, where they emigrated to during the 18th century from Ghana. On the contrary, masks were not used amongst the Ashanti. The Akan peoples finalised the development of their identity by uniting the influences that Muslim (irrespective of Islam) and European culture had on them.

Die Kunst der Akan

Unter den Akan-Völkern, die die Gebiete zwischen Ghana und der Elfenbeinküste bewohnten (die Ashanti, Fante, Baule, Abron und Anyin), haben beispielsweise die Ashanti und die Baule gemeinsame künstlerische Ausdrucksformen entwickelt. Während erstere jedoch das Leben der Bevölkerung einer Monarchie (17.-18. Jhd.) unterstellten, vereinten sich die anderen unter demokratischeren Regierungen, die auf den moralischen Werten des Individuums und der Gesellschaft gründeten. Die Baule haben den Gebrauch von Masken von den Völkern der Elfenbeinküste übernommen, mit denen sie nach ihrer Emigration aus Ghana im 18. Jahrhundert in Kontakt waren. Den Ashanti hingegen waren die Masken fremd.
Die Akan-Völker haben die Entwicklung ihrer Identität durch die Integration von Einflüssen der europäischen wie auch der muslimischen Kultur, nicht aber des islamischen Glaubens vollzogen.

De Akan-kunst

Enkele van de Akan-volkeren die de gebieden tussen Ghana en Ivoorkust (de Ashanti, Fante, Baulé, Abron en Anyi) bewonen, hebben gemeenschappelijke kunstvormen ontwikkeld – de Ashanti en Baulé – maar terwijl het eerste volk een monarchie heeft gesticht (van de zeventiende tot de achttiende eeuw), heeft het tweede zich rond meer democratische regeringen verenigd die gebaseerd zijn op de morele waarde van het individu en de maatschappij. De Baulé zijn maskers gaan gebruiken dankzij contact met volkeren uit Ivoorkust, waar ze in de achttiende eeuw vanuit Ghana naartoe waren geëmigreerd. De Ashanti daarentegen waren niet bekend met maskers.
De Akan-volkeren hebben voor hun uiteindelijke identiteit invloeden van de moslimcultuur (de islam buiten beschouwing gelaten) met die van de Europese cultuur verenigd.

El arte Akan

Entre los pueblos Akan que habitan el territorio comprendido entre Ghana y Costa de Marfil (los Ashanti, los Fante, los Baule, los Abron y los Anyi), algunos han establecido lazos entre sus expresiones artísticas, los Ashanti y los Baule. Sin embargo, mientras los primeros han regulado su sociedad con la constitución de una monarquía (del siglo XVII al XVIII), los segundos se han reunido bajo gobiernos más democráticos basados en los valores morales del individuo y de la sociedad. Los Baule han introducido el uso de las máscaras gracias al encuentro con los pueblos de la Costa de Marfil, donde emigraron en el siglo XVIII desde Ghana. Las máscaras eran, sin embargo, objetos desconocidos para los Ashanti.
Los pueblos akan han acabado con el transcurso de formación de su identidad uniendo las influencias recibidas de la cultura musulmana (prescindiendo del islamismo) y de la europea.

Ashanti, Ghana Seat depicting the knot of wisdom, wood and pigments h 53,5 cm / 21 in.
Den Knoten der Weisheit darstellender Sitz, Holz und Pigmente Private collection / Private Sammlung
Stoel die staat voor de knoop der wijsheid, hout en pigmenten Privécollectie / Colección privada
Silla representando el nudo de la sabiduría, madera y pigmentos

■ *The seat incorporates parts of the person's spiritual essence and is therefore treated with great care; only its legitimate owner can sit in it. When the owner dies, the chair will be buried with him or it will be darkened and transformed into an altar.*
■ *Der Sitz verkörpert Teile des spirituellen Wesens der Person und wird daher mit großer Sorgfalt behandelt; nur der legitime Eigentümer darf sich darauf setzen; bei seinem Tod wird er mit ihm begraben oder schwarz gefärbt und in einen Altar verwandelt.*
■ *De stoel staat voor de spirituele essentie van de persoon en wordt dus zorgvuldig behandeld; alleen de rechtmatige eigenaar kan er op zitten; die wordt mee begraven bij zijn dood of wordt zwart gemaakt en tot altaar omgevormd.*
■ *La silla incorpora partes de la esencia espiritual de la persona y por lo tanto es tratada con mucho cuidado; sólo el legítimo propietario se puede sentar en ella; en el momento de su muerte se la sepulta junto con el difunto o se la tiñe de negro y se la transforma en un altar.*

Ashanti, Ghana
Female head of funerary vase, terracotta
Weiblicher Kopf eines Begräbnisgefäßes, Terrakotta
Vrouwelijk hoofd op urn, terracotta
Cabeza femenina de urna funeraria, terracota
1600–1800
h 33 cm / 13 in.
Private collection / Private Sammlung
Privécollectie / Colección privada

Ashanti, Ghana
Fertility statuette
(*Akua-ba*), wood, beads
and string
Fruchtbarkeitsstatuette
(*Akua-ba*), Holz, Perlen
und Schnur
Vruchtbaarheidsbeeldje
(*Akua-ba*), hout, kralen
en touw
Estatua de la fertilidad
(*Akua-ba*), madera,
perlas y cuerda
1800–2000
h 27 cm / 10.6 in.
The Metropolitan
Museum of Art, New
York

Ashanti, Ghana *Akua-ba* fertility dolls, wood and beads Ernst Anspach Collection,
Fruchtbarkeitspuppen (*Akua-ba*), Holz und Perlen New York
Vruchtbaarheidspoppen (*Akua-ba*), hout en kralen
Muñecas de la fertilidad (*Akua-ba*), madera y cuentas

Ashanti, Ghana
Comb with allegorical
figures, wood, limestone
Kamm mit allegorischen
Figuren, Holz, Kalk
Kam met allegorische
figuren, hout, kalk
Peine con figuras alegóricas, madera, cal
Private collection / Privatsammlung
Privécollectie / Colección privada

Ashanti, Ghana
Comb, wood
Kamm, Holz
Kam, hout
Peine, madera
h 30,5 cm / 12 in.
Musée du quai Branly, Paris

Ashanti, Ghana
Pendants in the shape of stylised heads, gold
Anhänger in Form stilisierter Köpfe, Gold
Hangers in de vorm van gestileerde hoofden, goud
Pendientes con forma de cabezas estilizadas, oro
Private collection / Privatsammlung
Privécollectie / Colección privada

◀ Ashanti, Ghana   Jewellery, gold
Schmuck, Gold
Juweel, goud
Joya, oro   1700–1900
British Museum,
London

Ashanti, Ghana   Jewellery, gold
Schmuck, Gold
Juwelen, goud
Joyas, oro   1700–1900
British Museum,
London

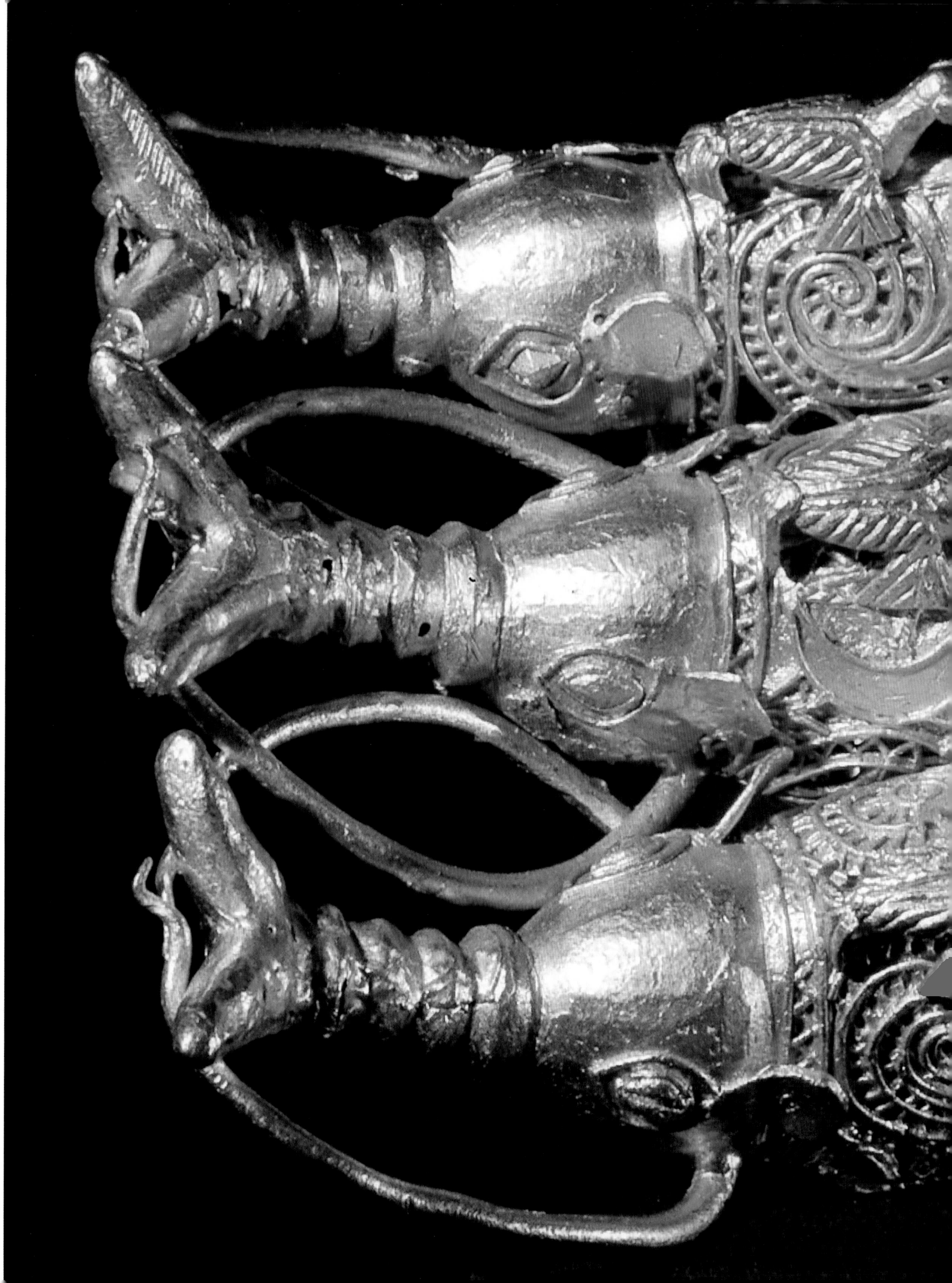

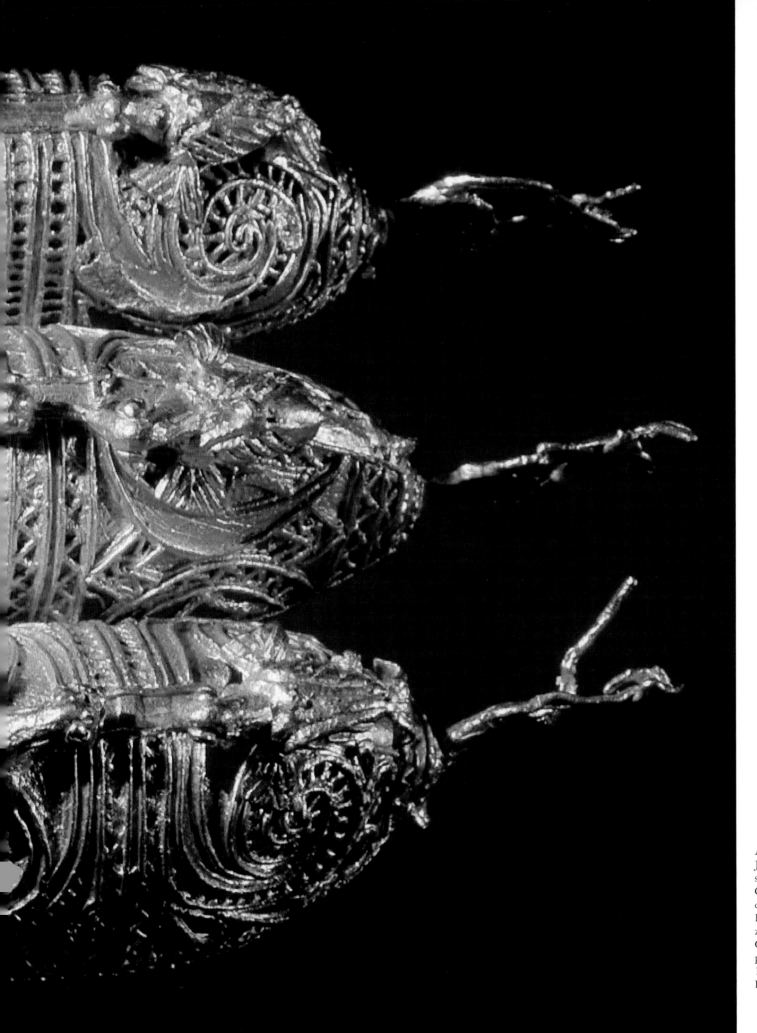

Ashanti, Ghana
Jewellery with three elephants
surmounted by six birds, gold
Geschmeide mit drei Elefanten,
die von sechs Vögeln überragt werden, Gold
Ketting met drie olifanten waarop
zes vogels zitten, goud
Collar con tres elefantes montados
por seis pájaros, oro
1700–1900
British Museum, London

Ashanti, Ghana
Weight for gold representating a knight on horseback, brass
Goldgewicht in Form eines Kriegers zu Pferd, Messing
Goudgewicht in de vorm van een ruiter te paard, messing
Peso para el oro que representa un caballero a caballo, latón
British Museum, London

Ashanti, Ghana
Figurative weight for gold, brass
Darstellendes Gewicht für das Gold,
Messing
Figuratief gewicht voor goud, koper
Pesa figurativa para el oro, latón
Private collection / Private Sammlung
Privécollectie / Colección privada

▶ **Ashanti, Ghana**
Drum, wood, leather, and pigments
Trommel, Holz, Felle und Pigmente
Drum, hout, huid en pigmenten
Tambor, madera, piel y pigmentos
1900–1920
h 39 cm / 15.3 in.
The Metropolitan Museum of Art, New York

These fabrics are given names related to proverbs; their use is strictly controlled, reserving certain designs, colours, and materials (silk in particular) for the king (Ashantene) and his court. They are used as garments wrapped around the body.

Diesen Tüchern werden Namen gegeben, die sich auf Sprüche beziehen. Ihr Gebrauch wurde oft streng geregelt, wobei bestimmte Zeichnungen, Farben und Materialien (insbesondere die Seide) dem Herrscher (Ashantene) und dem Hof vorbehalten waren. Um den Körper gewickelt werden sie wie Kleidung getragen.

Aan deze weefsels worden namen gegeven die verwijzen naar spreekwoorden; het gebruik ervan is strikt geregeld door bepaalde tekeningen, kleuren en materialen (vooral zijde) aan de soeverein (ashantene) en zijn hof voor te behouden. Ze worden gebruikt als kleding, wapperend rond het lichaam.

A estos tejidos se les dan nombres que hacen referencia a proverbios; se los usaba con mucha disciplina, reservando ciertos dibujos, colores y materiales (en particular la seda) al soberano (ashantene) y a su corte. Envueltos alrededor del cuerpo, eran utilizados como vestimenta.

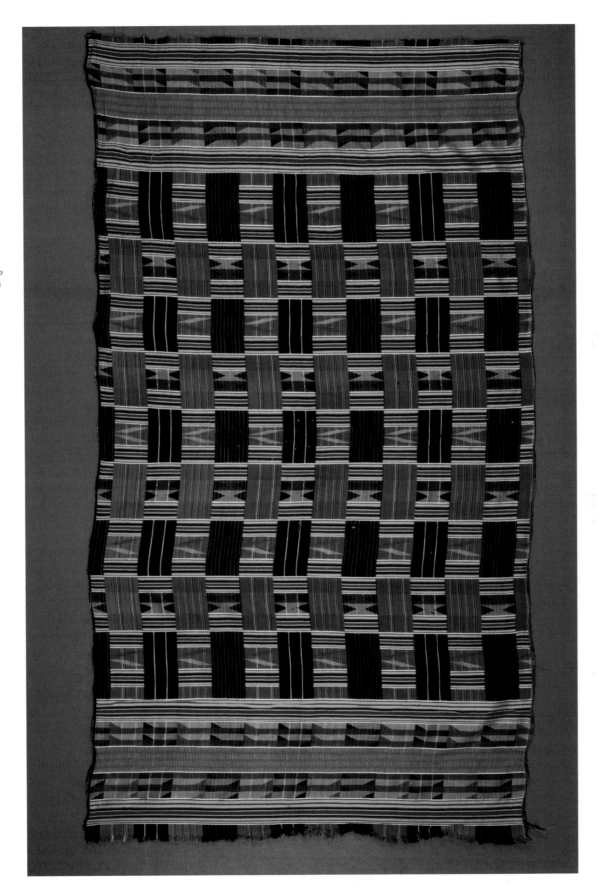

Ashanti, Ghana
Kente cloth, cotton
Kente-Gewebe, Baumwolle
Kente-weefsel, katoen
Tejido kente, algodón
ca. 1950
201,17 cm / 79.2 in.
The Newark Museum of Art, Newark

◀ **Ashanti, Ghana**
Kente cloth
Kente-Stoff
Kente-weefsel
Tejido kente
1900–2000
The Newark Museum of Art, Newark

Ashanti, Ghana
Proverb-emblem held by Court Spokesman, wood and gold
Aushänge-Sprichwort des höfischen Sprechers, Holz und Gold
Onderwijsspreuk van de woordvoerder van het hof, hout en goud
Enseña-proverbio de portavoz de corte, madera y oro

Ashanti, Ghana
Proverb-emblem held
by Court Spokesman
Aushänge-Sprichwort des höfischen Sprechers
Onderwijsspreuk
van de woordvoerder van het hof
Enseña-proverbio de portavoz de corte

▶ **Ashanti, Ghana**
Double blade of a ceremonial sword
Zeremonienschwert mit doppelter Klinge
Ceremonieel tweesnijdend zwaard
Espada ceremonial de doble filo
National Museum of Accra, Accra

Ashanti, Ghana	Ceremonial swords representing part of the regalia of the Ashanti King and the court officials	National Museum of Accra, Accra	▶ Fante, Ghana	Nana Amonu X, "omanhene" of Anomabu and two members of his court with the regalia of power
	Zeremonienschwerter, auf denen ein Teil der Insignien der Ashanti-Könige und der Höflinge dargestellt ist			Nana Amonu X, „omanhene" von Anomabu und zwei Mitglieder des Hofes mit den Machtinsignien
	Ceremoniële zwaarden die deel uitmaken van de regalia van de Ashanti-koningen en de hoffunctionarissen			Nana Amonu X, "omanhene" van Anomabu en twee leden van zijn hof met machtsinsignes
	Espadas ceremoniales que representan partes de las insignias de los reyes Ashanti y de los oficiales de la corte			Nana Amonu X, "omanhene" de Anomabu y dos miembros de su corte con las insignias del poder

Fante, Ghana
Figure with feet turned, wood and pigments
Figur mit gedrehten Füßen, Holz und Pigmente
Figuur met gedraaide poten, hout en pigmenten
Figura con los pies dados vuelta, madera y pigmentos

Fante, Ghana
Fertility doll, wood and beads
Fruchtbarkeitspuppe, Holz und Perlen
Vruchtbaarheidspop, hout en kralen
Muñeca de la fertilidad, madera y cuentas
Dallas Museum of Art, Dallas

Fante, Ghana
Spoon, wood
Löffel, Holz
Lepel, hout
Cuchara, madera
h 35 cm / 13.8 in.
Musée du quai Branly, Paris

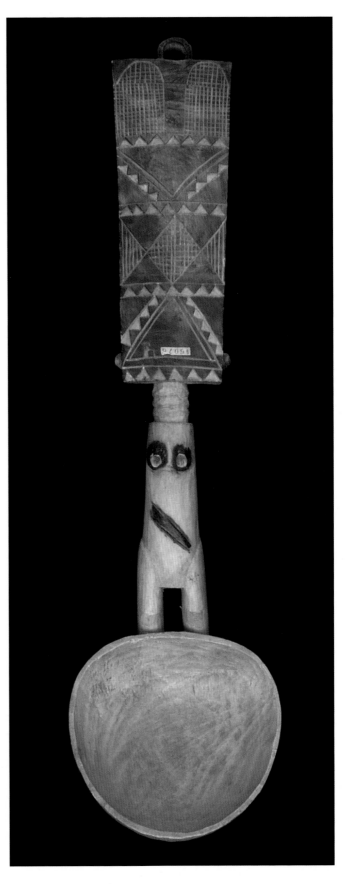

Fante, Ghana
Asafo flag, cotton
Asafo-Fahne, Baumwolle
Asafo vlag, katoen
Bandera asafo, algodón
1900–1920
105 x 170 cm / 59 x 67 in.
Private collection / Private Sammlung
Privécollectie / Colección privada

Fante, Ghana Shrine of an Asafo company, concrete
Altare einer Asafo-Gruppe, Zement
Altaar van een asafo groep, cement
Altar de una compañía Asafo, cemento

Baulé, Ivory Coast / Elfenbeinküste
Ivoorkust / Costa de Marfil
Pair of figures for divination,
wood, beads, and kaolin
Figurenpaar für die Wahrsagung,
Holz, Perlen, Kaolin
Stel figuren voor waarzeggerij,
hout, kralen en kaolien
Pareja de figuras para la adivinación,
madera, cuentas, caolín
1800–1950
h 55,4; 52,5 cm / 21.8; 20.6 in.
The Metropolitan Museum of Art,
New York

Baulé, Ivory Coast / Elfenbeinküste
Ivoorkust / Costa de Marfil
Figure of a guard with the head
of a monkey, wood and fabric
Wächterfigur mit Affenkopf,
Holz und Stoff
Beschermingsfiguur met apenkop,
hout en weefsel
Figura de guardián con cabeza
de simio, madera y tejido
1880–1920
h 53,5 cm / 21 in.
Furhman Collection,
Musée du quai Branly, Paris

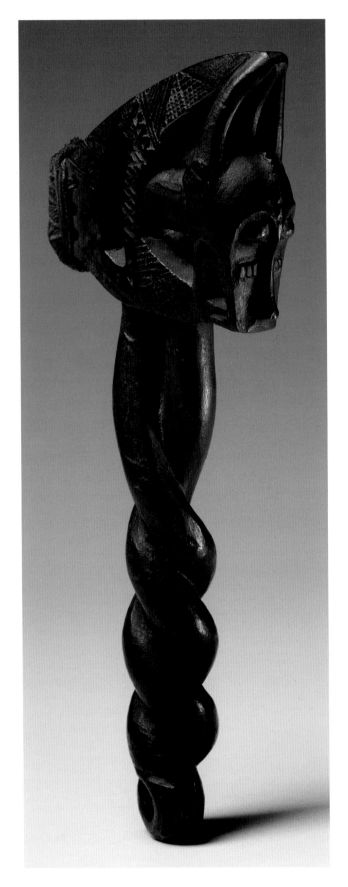

**Baulé, Ivory Coast / Elfenbeinküste
Ivoorkust / Costa de Marfil**
Hammer for diviner's bell,
wood and fabric
Hammer für die Glocke
des Wahrsagers, Holz und Stoff
Hamer voor de bel van
de waarzegger, hout en weefsel
Martillo para la campana
del adivino, madera y tejido
h 26 cm / 10.2 in.
Musée du quai Branly, Paris

**Baulé, Ivory Coast / Elfenbeinküste
Ivoorkust / Costa de Marfil**
Anthropomorphic spoon, wood and paint
Anthropomorpher Löffel,
Holz und Farbpigmente
Antropomorfe lepel, hout en pigmenten
Cuchara antropomorfa,
madera y pigmentos
h 17,3 cm / 6.8 in.
Musée du quai Branly, Paris

Baulé, Ivory Coast
Elfenbeinküste
Ivoorkust
Costa de Marfil
Chief's drum used for
ceremonies, wood and net
Häuptlingstrommel für den
zeremoniellen Gebrauch, Holz
und Netz
Hoofdtamboer voor
ceremonieel gebruik, hout
en gaas
Tambor de jefe para uso
ceremonial, madera y red
h 230 cm / 90.6 in.
Musée du quai Branly, Paris

Baulé, Ivory Coast
Elfenbeinküste
Ivoorkust
Costa de Marfil
Drum, wood, skull vault,
net and leather
Trommel, Holz,
Schädeldecken,
Netz und Leder
Tamboer, hout,
schedelkappen, gaas en huid
Tambor, madera, huedo
craneal, red y piel
h 116 cm / 45.7 in.
Musée du quai Branly, Paris

◄ **Baulé, Ivory Coast**   Mask with two faces, wood and pigments   h 29 cm / 11.4 in.   **Baulé, Ivory Coast**   Mask, wood   Entwistle Gallery, London
Elfenbeinküste   Maske mit zwei Gesichtern, Holz und Pigmente   Musée Barbier-Müller, Genève   **Elfenbeinküste**   Maske, Holz
Ivoorkust   Masker met twee kanten, hout en pigmenten   **Ivoorkust**   Masker, hout
Costa de Marfil   Máscara con dos caras, madera y pigmentos   **Costa de Marfil**   Máscara, madera

Baulé, Ivory Coast
Elfenbeinküste
Ivoorkust
Costa de Marfil
Mask, wood
Maske, Holz
Masker, hout
Máscara, madera
1800–1900
h 41,9 cm / 16.5 in.
The Metropolitan
Museum of Art,
New York

Baulé, Ivory Coast / Elfenbeinküste
Ivoorkust / Costa de Marfil
Anthropomorphic *Gu* mask, wood and paint
Anthropomorphe Maske des *Gu*, Holz und Farbpigmente
Antropomorf masker van *Gu*, hout en pigmenten
Máscara antropomorfa de *Gu*, madera y pigmentos
h 44 cm / 17.3 in.
Musée du quai Branly, Paris

Baulé, Ivory Coast / Elfenbeinküste
Ivoorkust / Costa de Marfil
Anthropo-zoomorphic *"Kpwan"* mask, wood and paint
Anthropozoomorphe Maske *„Kpwan"*, Holz und Farbpigmente
Antropo-zoömorf *"Kpwan"*-masker, hout en pigmenten
Máscara antropozoomorfa *"Kpwan"*, madera y pigmentos
h 48 cm / 18.9 in.
Musée du quai Branly, Paris

◀ **Baulé, Ivory Coast / Elfenbeinküste**
Ivoorkust / Costa de Marfil
Anthropomorphic *Gu* mask, god who presided
over the wedding of heaven and earth, wood and paint
Anthropomorphe Maske des *Gu*, Gottheit, die den Vorsitz bei der
Trauungszeremonie von Himmel und Erde hatte, Holz und Farbpigmente
Antropomorf masker van *Gu*, godheid die het huwelijk
tussen hemel en aarde heeft geleid, hout en pigmenten
Máscara antropomorfa de *Gu*, divinidad que preside
el matrimonio entre el Cielo y la Tierra, madera y pigmentos
h 35,5 cm / 14 in.
Musée du quai Branly, Paris

Baulé,
Ivory Coast / Elfenbeinküste
Ivoorkust / Costa de Marfil

Divination box with mice, wood, terracotta, kaolin, string
Schachtel für das Wahrsagen mit Mäusen, Holz, Terracotta, Kaolin, Schnur
Pot voor divinatie met muizen, hout, terracotta, kaolien, touw
Caja para adivinación con ratones, madera, terracota, caolín, cuerda

1850–1900
h 27 cm / 10.6 in.
Musée du quai Branly, Paris

Baulé, Ivory Coast / Elfenbeinküste
Ivoorkust / Costa de Marfil
Door panel with fishes and bird, wood
Türflügel mit Fischen und Vogel, Holz
Deurpaneel met vissen en vogel, hout
Panel de puerta con peces y pájaro, madera

◀ **Baulé, Ivory Coast / Elfenbeinküste**
Ivoorkust / Costa de Marfil
Door panel, wood
Türplatte, Holz
Deurpaneel, hout
Panel de puerta, madera
142,85 x 52,4 cm / 56.2 x 20.6 in.
Dallas Museum of Art, Dallas

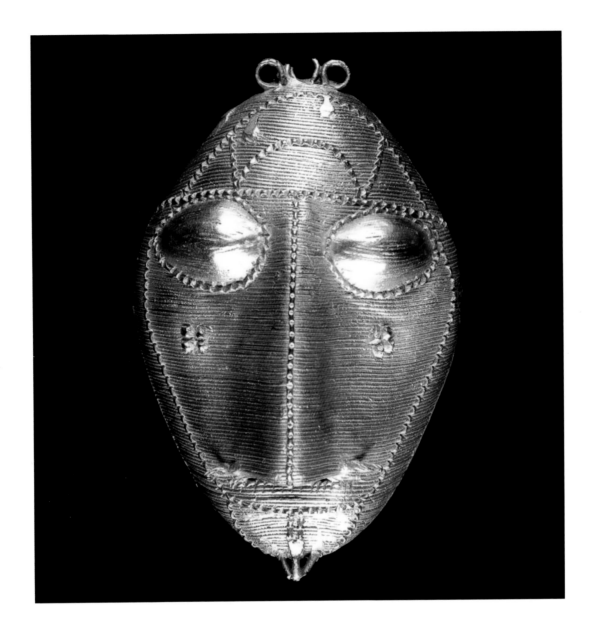

Baulé, Ivory Coast   Jewel, gold   h 7,8 cm / 3.1 in.
Elfenbeinküste   Schmuckstück, Gold   Musée du quai Branly, Paris
Ivoorkust   Sieraad, goud
Costa de Marfil   Joya, oro

▶ **Baulé, Ivory Coast**   Jewel, gold   h 8 cm / 3.2 in.
Elfenbeinküste   Schmuckstück, Gold   Musée du quai Branly, Paris
Ivoorkust   Sieraad, goud
Costa de Marfil   Joya, oro

Baulé, Ivory Coast / Elfenbeinküste
Ivoorkust / Costa de Marfil
Zoomorphic jewel, gold
Zoomorphes Schmuckstück, Gold
Zoömorf sieraad, goud
Joya con forma de animal, oro
Musée du quai Branly, Paris

Art from the Gold Coast and Nigeria

From the over two-hundred ethnic groups found living in Nigeria, the Yoruba and the Igbo stand out for the quality of their art. Although divided into numerous kingdoms which were hostile towards each other, the Yoruba, famous thanks to the discovery of various pieces of art and for the region of Ife, were proud of a union between them, thanks to their shared origins from the city of Ile-Ife. The kingdom of Oyo, the most powerful and famous for having started the worship of Shango, god of thunder, extended from the inside of the Niger River up to the coast, and maintained power up until the 19th century. The Igbo, on the other hand, had a different social organisation of their territory: the running of their villages, which were each governed autonomously, was entrusted to the wisdom of the elderly and associations. The site of Igbo-Ukwu, where 10th century copper artwork has been found, is the oldest piece of evidence we have of this.

Die Kunst der Goldküste und des nigerianischen Gebiets

Die Yoruba und die Igbo haben mit der hohen Qualität ihrer Kunst unter den über zweihundert Ethnien Nigerias einen besonderen Eindruck hinterlassen. Die Yoruba sind insbesondere durch die Kunst des ihnen zugehörigen Ife-Stammes bekannt. Obgleich in mehrere einander feindlich gesinnte Königreiche zersplittert, trugen sie in sich doch eine ursprüngliche Eintracht, die sich beispielsweise im gemeinschaftlichen Ursprung der Stadt Ile-Ife erkennen lässt. Das Königreich Oyo, mächtigstes der Yoruba-Reiche und bekannt für die Entstehung der Verehrung des Donnergottes Shango, erstreckte sich vom Gebiet um den Niger im Landesinneren bis hin zum Meer und behielt seinen Einfluss bis ins 19. Jahrhundert hinein. Gesellschaft und Territorium der Igbo hingegen waren anders strukturiert: Die Leitung der autonomen Dörfer vertrauten sie der Weisheit der Ältesten sowie von Gemeinschaften an. Die archäologische Fundstätte von Igbo-Ukwu liefert mit ihren Kunstwerken aus Kupfer aus dem 10. Jahrhundert die ältesten Beweise.

De kunst van de Goudkust en het Nigeriaanse gebied

De Yoruba en de Igbo onderscheiden zich van de meer dan tweehonderd volksgroepen in Nigeria door de kwaliteit van hun kunst. De Yoruba, bekend dankzij hun teruggevonden werken en Ife, waren in vele, onderling vijandige rijken verdeeld, maar leefden oorspronkelijk wel in harmonie omdat ze allemaal uit de stad Ile-Ife afkomstig waren. Oyo, het machtige rijk waar de verering van Shango, de god van de donder, haar oorsprong heeft, strekte zich uit van het westelijk binnenland bij de Niger tot aan de zee, en bleef tot de negentiende eeuw bestaan. De Igbo daarentegen hadden een andere sociale indeling van het gebied: ze lieten de autonome dorpen door wijze ouderen en genootschappen besturen. De archeologische site Igbo-Ukwu, met vondsten van koperen werken uit de tiende eeuw, is hier het oudste bewijs van.

El arte de la Costa de Oro y del área nigeriana

Los Yoruba y los Igbo se distinguen por la calidad de su arte entre las otras doscientas etnias que habitan Nigeria. Los primeros, conocidos gracias a la obras descubiertas y a Ife, aún estando divididos en diversos reinos hostiles entre sí, presumían de una concordia inicial gracias a que todos procedían de la ciudad de Ile-Ife. El reino de Oyo, el más poderoso y conocido por haber originado la veneración a Shango, dios del trueno, se expande desde la parte interna del Níger hacia el mar, y dictó sus reglas hasta finales del siglo XIX. Por otra parte, los Igbo tenían una organización social del territorio diferente: confiaban la dirección de los poblados, autónomos entre sí, a la sabiduría de los ancianos y de las asociaciones. La zona de los Igbo-Ukwu, con los descubrimientos de obras en cobre del siglo X, es la prueba más antigua.

Ekplekendo Akati, Benin / Benín   Statue of Gu, God of Iron and War, iron   *ante* 1858
Gu-Statue, König des Krieges und der Metalle, Eisen   h 165 cm / 65 in.
Standbeeld van Gu, de god van de oorlog en van metalen, ijzer   Musée du quai Branly, Paris
Estatua de Gu, dios de la guerra y de los metales, hierro

It was said that King Glele had the power to turn into a lion; this is how he was represented, and his statue was brought to the battlefield to terrorise the enemy. His reign was characterised by a policy of military expansion that led to fighting with the neighbouring Yoruba people.

Dem König Glele sagte man nach, dass er sich in einen Löwen verwandeln konnte. So wurde er dargestellt und seine Statue wurde mit auf das Schlachtfeld getragen, um die Feinde zu erschrecken. Sein Königreich war von einer Politik militärischer Expansion gekennzeichnet, die zu einer Auseinandersetzung mit den Nachbarn Yoruba führte.

Koning Glele krijgt de macht zich te veranderen in een leeuw; op deze manier werd hij uitgebeeld en zijn beeld werd naar het slagveld gebracht om de vijand te terroriseren. Zijn regeerperiode werd gekenmerkt door een beleid van militaire expansie die hem leidde tot botsingen met de naburige Yoruba.

Al rey Glele se le atribuía el poder de transformarse en un león; de este modo era representado y su estatua era llevada al campo de batalla para aterrorizar a los enemigos. Su reino fue caracterizado por una política de expansión militar que lo llevó a enfrentarse a los vecinos Yoruba.

Fon, Benin / Benín
Statue of King Behanzin,
wood and pigments
Statue des Königs Behanzin,
Holz und Pigmente
Standbeeld van koning Behanzin,
hout en pigmenten
Estatua del rey Behanzin,
madera y pigmentos
1889–1894
h 168 cm / 66.1 in.
Musée du quai Branly, Paris

◀ **Fon, Benin / Benín**
Statue of King Glele,
wood, leather, pigments
Statue des Königs Glele,
Holz, Leder und Pigmente
Standbeeld van koning Glele,
hout, leer en pigmenten
Estatua del rey Glele,
madera, cuero y pigmentos
1858–1889
h 179 cm / 70.5 in.
Musée du quai Branly, Paris

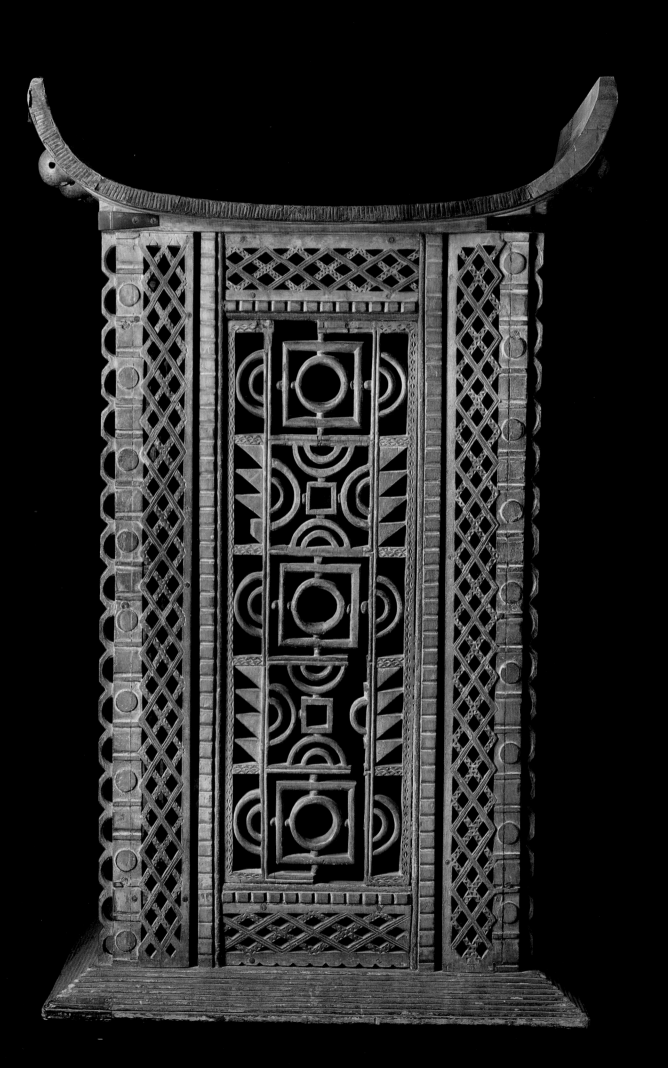

Fon, Benin / Benín
Throne of King Behanzin
Thron des Königs Behanzin
Troon van Koning Behanzin
Trono del rey Behanzin
1889–1894
h 199 cm / 78.4 in.
Musée du quai Branly, Paris

▶ Fon, Benin / Benín
Ceremonial staff (*recade*), wood, metal
Zeremonienzeichen (*recade*), Holz, Metall
Ceremonieel teken (*recade*), hout, metaal
Enseña ceremonial (*recade*), madera, metal
h 54 cm / 21.2 in.
Musée du quai Branly, Paris

▶ Fon, Benin / Benín
Ceremonial staff (*recade*)
of King Behanzin, wood, metal
Zeremonienzeichens (*recade*)
des Königs Behanzin, Holz, Metall
Ceremonieel teken (*recado*)
van koning Behanzin, hout, metaal
Enseña ceremonial (*recade*)
del rey Behanzin, madera, metal
h 46 cm / 18.1 in.
Musée du quai Branly, Paris

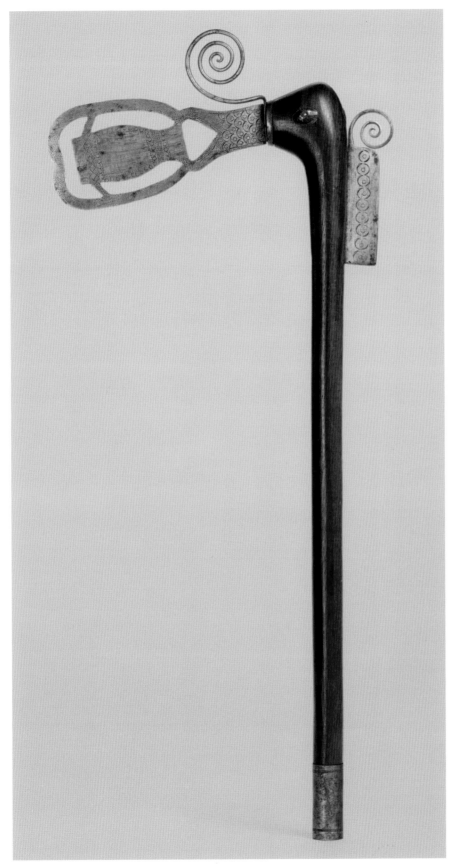

**Fon, Benin
Benín**

Protective figures (*bocio*),
wood, metal, rope
Schutzfiguren (*bochio*),
Holz, Metall, Schnur
Beschermende figuren (*Boch*),
hout, metaal, touw
Figuras protectoras (*bochio*), madera,
metal, cuerda

Ben Heller Collection,
New York

**Fon, Benin
Benín**

Protective figure (*bocio*),
wood, metal, rope
Schutzfigur (*bochio*),
Holz, Metall und Schnur
Beschermende figuur (*Boch*),
hout, metaal en touw
Figura protectora (*bochio*),
madera, metal y cuerda

Ben Heller Collection,
New York

The figures that appear on these altars for the ancestors, often are made from old iron from cans, refer to proverbs that relate in some way to the life of the deceased. They may be regarded as a sort of "portrait".

Die Figuren auf diesen Altären für die Ahnen, für die häufig das Eisen aus alten Konserven wiederverwendet wird, weisen Sprüche auf, die eine Beziehung mit dem Leben des Verstorbenen haben. Sie können daher als eine Art "Porträt" verstanden werden.

De figuren, die worden weergegeven op deze altaren voor de voorouders, waarvoor vaak ijzer wordt hergebruikt dat verkregen wordt uit conserven, verwijzen naar spreekwoorden die betrekking hebben op het leven van de overledene. Ze kunnen dus worden beschouwd als een soort "portret".

Las figuras que aparecen sobre estos altares para los antepasados, que a menudo reutilizan el hierro recuperado de las latas, hacen referencia a proverbios que tienen alguna relación con la vida del difunto. Pueden ser considerados como una especie de "retrato".

Fon, Benin / Benín
Portable altar (*Asen*), copper, iron
Altar (*asen*), Kupfer und Eisen
Altaar (*asen*), koper en ijzer
Altar (*asen*), cobre y hierro
h 148 cm / 58.3 in.
Musée du quai Branly, Paris

Fon, Benin / Benín
Clothes depicting the story of the Fon
kingdom of Abomey, cotton
Stoffe, der die Geschichte des Fon-Königs
von Abomey erzählt, Baumwolle
Stoffen dat het verhaal van het Fon
koninkrijk van Abomey vertelt, katoen
Tejidos que cuentan la historia del reino
fon de Abomey, algodón
220 x 130 cm / 86.6 x 51.2 in.
222,5 x 133,5 cm / 87.6 x 52.5 in.
Musée du quai Branly, Paris

Fon, Benin / Benín
Cloth depicting the story
of the Fon kingdom of Abomey, cotton
Stoff, der die Geschichte des Fon-Königs
von Abomey erzählt, Baumwolle
Stof dat het verhaal van het Fon
koninkrijk van Abomey vertelt, katoen
Tejido que cuentan la historia
del reino fon de Abomey, algodón
Musée du quai Branly, Paris

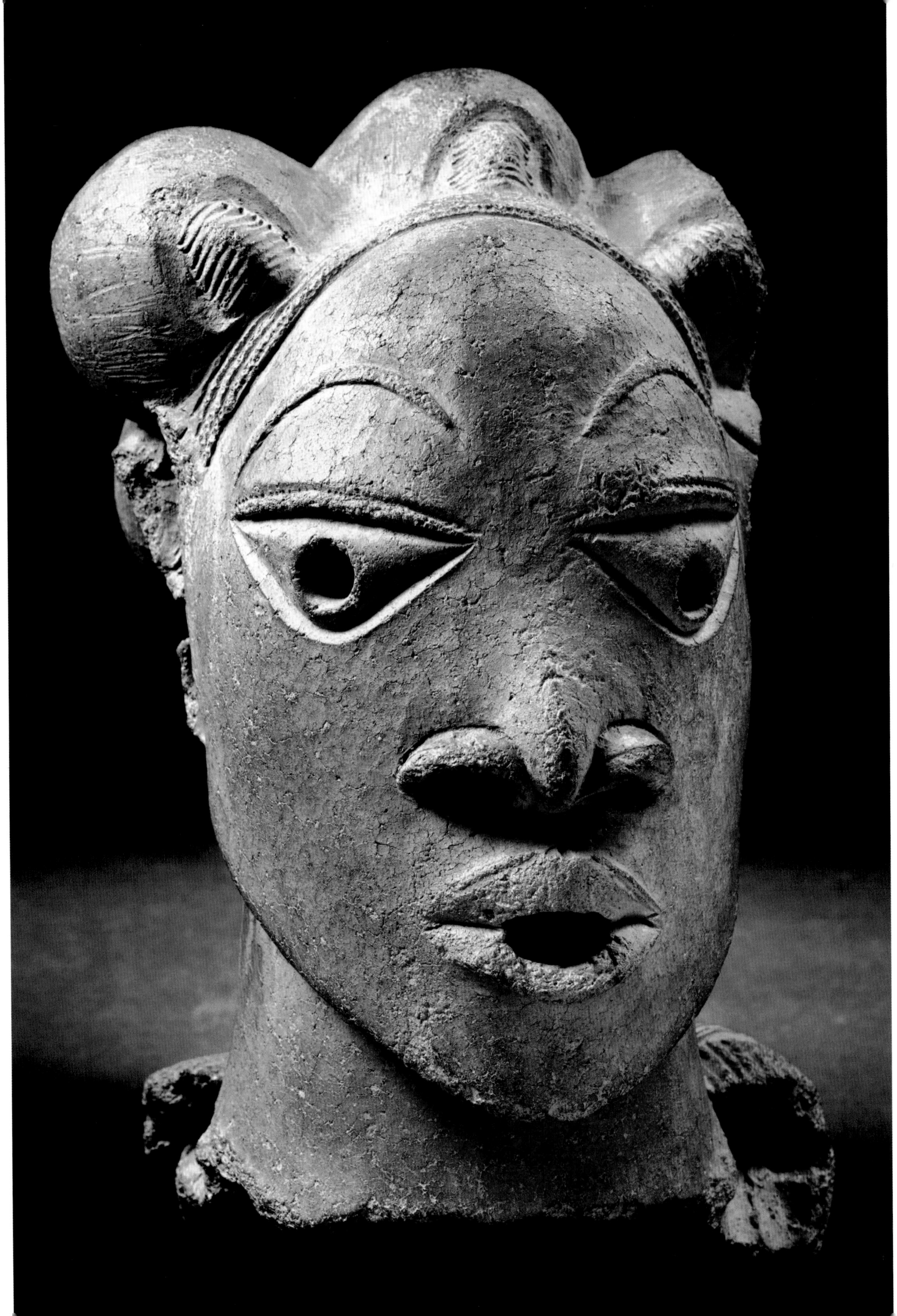

Nok, Nigeria
Male figure, terracotta
Männliche Figur, Terracotta
Mannenfiguur, terracotta
Figura masculina, terracota
ca. 195 BCE–205 CE
h 49,5 cm / 19.5 in.
Kimbell Art Museum, Fort Worth

◀ **Nok, Nigeria**
Head, terracotta
Kopf, Terracotta
Hoofd, terracotta
Cabeza, terracota
500–400 BCE
h 33,8 cm / 13.3 in.
National Museum, Lagos

Nok, Nigeria

Head, details
Kopf, Details
Hoofd, details
Cabeza, detalles

500–400 BCE
National Museum, Lagos

Nok, Nigeria
Kneeling figure with
right arm raised, terracotta
Kniende Figur mit erhobenem
rechten Arm, Terracotta
Knielende figuur met rechterarm
omhoog, terracotta
Figura genuflexa con brazo
derecho levantado, terracota
900 BCE–200 CE
h 66,1 cm / 26.1 in.
National Museum, Lagos

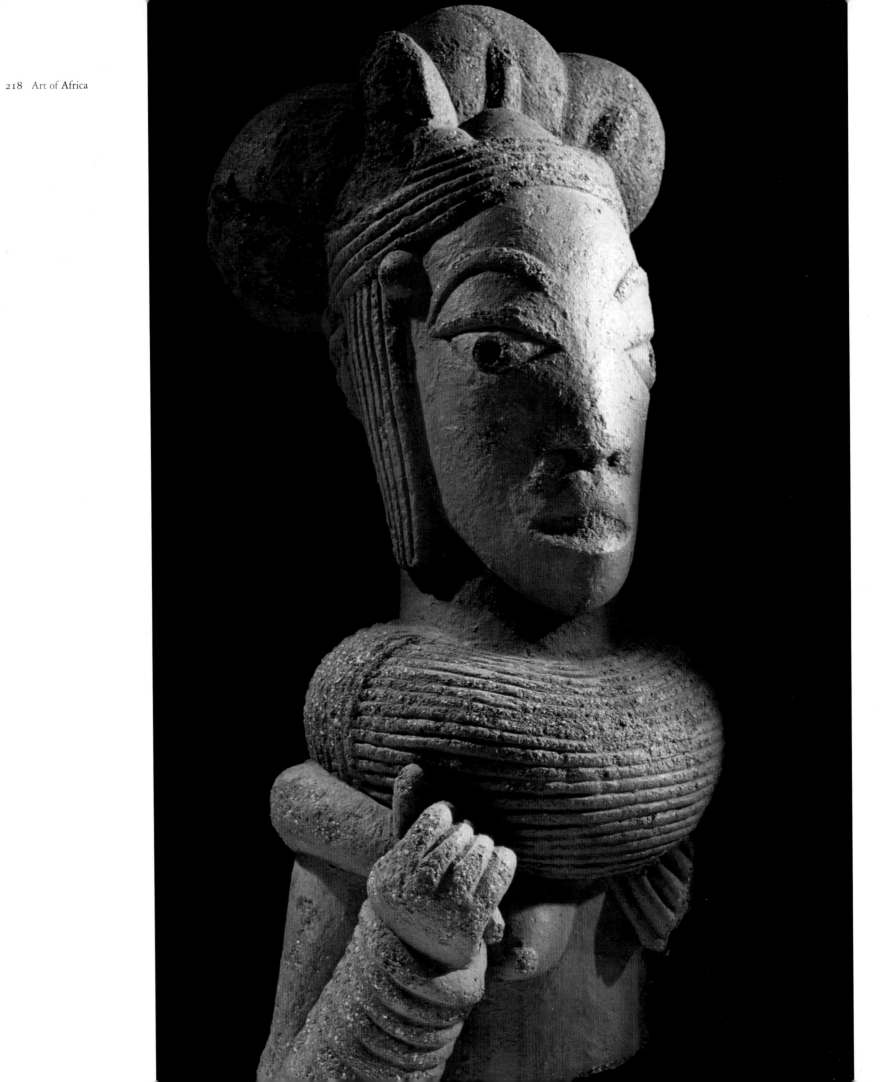

Nok, Nigeria   Bust, terracotta   900 BCE–200 CE
                      Büste, Terracotta   Museum für Völkerkunde, Hamburg
                      Buste, terracotta
                      Busto, terracota

Nok, Nigeria
Seated male figure, terracotta
Sitzende männliche Figur, Terracotta
Zittende mannenfiguur, terracotta
Figura masculina sentada, terracota
500 BCE–500 CE
h 38 cm / 14.97 in.
Musée du quai Branly, Paris

Nok, Nigeria
Crouching figure with hand raised, terracotta
Kauernde Figur mit erhobener Hand, Terracotta
Gehurkte figuur met een hand omhoog, terracotta
Figura agachada con una mano levantada, terracota
900 BCE–200 CE
h 10,8 cm / 4.3 in.
National Museum, Lagos

Nok, Nigeria
Head, terracotta
Kopf, Terracotta
Hoofd, terracotta
Cabeza, terracota

900 BCE–200 CE
National Museum, Lagos

▶ **Nok, Nigeria**
Statuette seated on pedestal, terracotta
Auf einem Sockel sitzende Figur, Terracotta
Zittend beeldje op voetstuk, terracotta
Estatua sentada sobre basamento, terracotta

500–400 BCE
h 22,4 cm / 8.8 in.
National Museum, Lagos

Nok, Nigeria
Elephant head, terracotta
Elefantenkopf, Terracotta
Olifantskop, terracotta
Cabeza de elefante, terracota
500 BCE–200 CE
National Museum, Jos

▶ **Nok, Nigeria**
Pedestal with prominent figures, terracotta
Sockel mit Relieffiguren, Terracotta
Voetstuk met reliëffiguren, terracotta
Basamento con personajes en relieve, terracota
500 BCE–500 CE
h 50 cm / 19.7 in.
Musée du quai Branly, Paris

Ife, Nigeria
Female head, terracotta
Weiblicher Kopf, Terracotta
Vrouwenhoofd, terracotta
Cabeza femenina, terracota
1100–1500
h 26 cm / 10.2 in.
National Museum, Lagos

Owo, Nigeria
Head, terracotta
Kopf, Terracotta
Hoofd, terracotta
Cabeza, terracota
1400–1500
h 18,4 cm / 7.3 in.
National Museum, Lagos

▶ **Ife, Nigeria**
Crowned head, terracotta
Gekrönter Kopf, Terrakotta
Gekroond hoofd, terracotta
Cabeza coronada, terracota
1100–1500
h 23,2 cm / 9.1 in.
National Museum of Ife, Ife

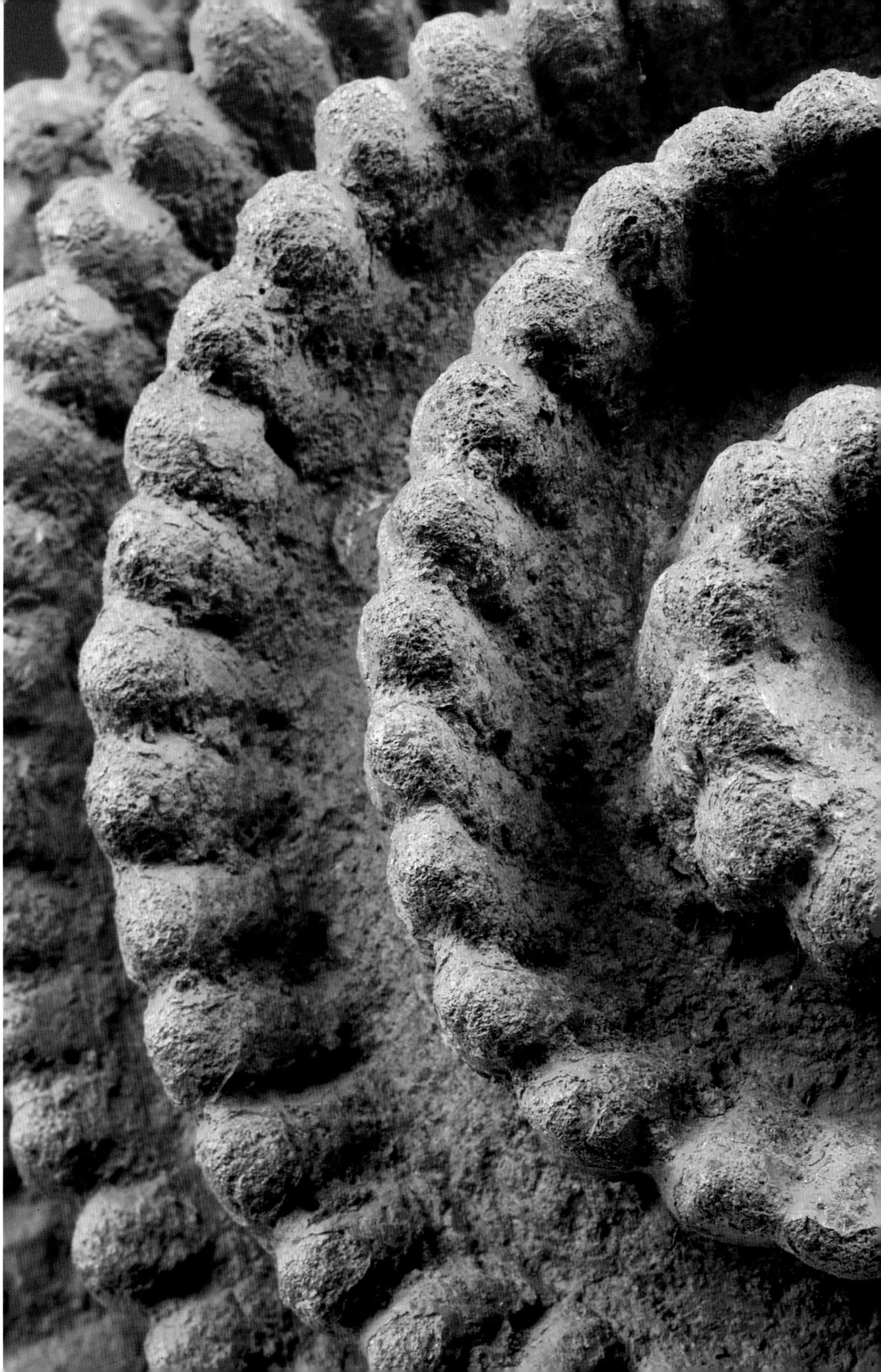

Ife, Nigeria
Crowned head, detail
Kopf mit Krone, Detail
Gekroond hoofd, detail
Cabeza coronada, detalle
National Museum, Ife

Owo, Nigeria   Portrait of a man, terracotta   1400–1500
Bildnis eines Mannes, Terracotta   h 10,1 cm / 4 in.
Potret van een man, terracotta   National Museum, Lagos
Retrato de hombre, terracota

Ife, Nigeria   Head and detail, terracotta   1100–1500
Kopf und Detail, Terracotta   h 13,1 cm / 5.2 in.
Hoofd en detail, terracotta   National Museum, Lagos
Cabeza y detalle, terracota

Ife, Nigeria Probable king's head and detail, terracotta
Kopf, vermutlich eines Königs und Detail, Terracotta
Hoofd, mogelijk van een koning en detail, terracotta
Posible cabeza de rey y detalle, terracota

1100–1400
h 26,7 cm / 10.5 in.
Kimbell Art Museum, Fort Worth

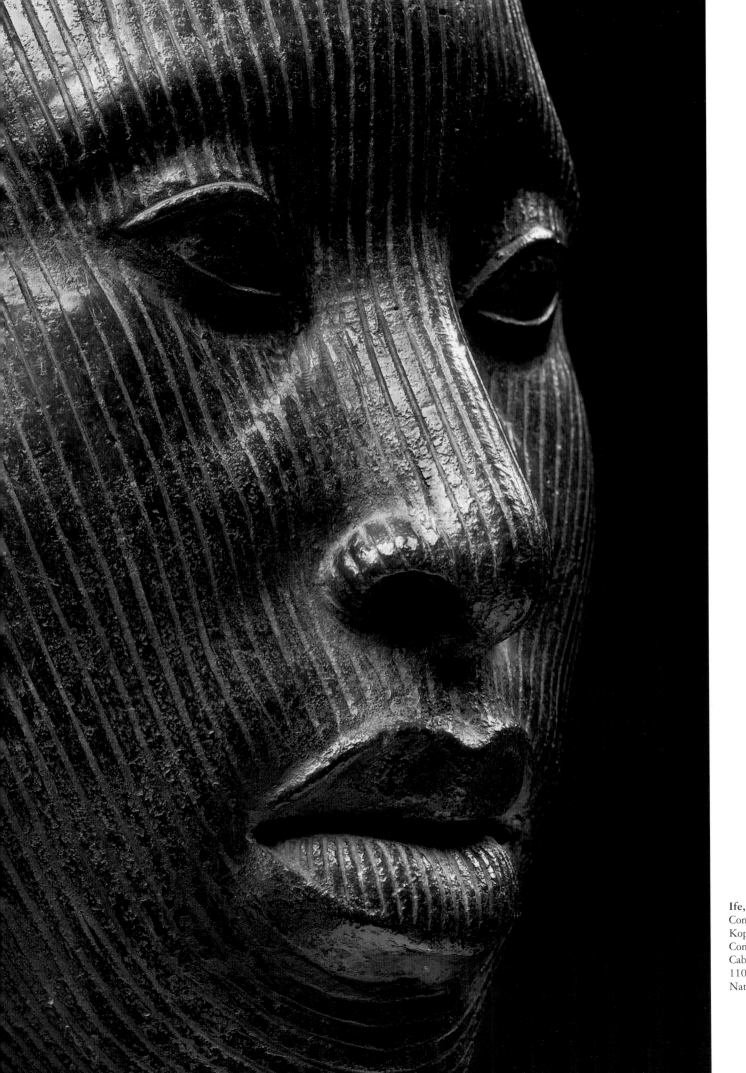

Ife, Nigeria
Commemorative head of the king (*oni*), brass
Kopf zum Gedenken des Herrschers (*oni*), Messing
Commemoratief hoofd van vorst (*oni*), messing
Cabeza conmemorativa de soberano (*oni*), latón
1100–1500
National Museum of Ife, Ife

Ife, Nigeria
Crowned head of king (*oni*), brass
Gekrönter Kopf des Herrschers (*oni*), Messing
Gekroond hoofd van vorst (*oni*), messing
Cabeza coronada de soberano (*oni*), latón
1100–1500
h 25 cm / 9.8 in.
National Museum of Ife, Ife

Ife,	Commemorative head of the king (*oni*) and detail, brass	1100–1500
Nigeria	Kopf zum Gedenken des Herrschers (*oni*) und Detail, Messing	h 28 cm / 11 in.
	Commemoratief hoofd van vorst (*oni*) en detail, messing	National
	Cabeza conmemorativa de soberano (*oni*) y detalle, latón	Museum of Ife, Ife

Ife,	Mask of Obalufon, (*oni*) sacred king of Ife, copper	1100–1500
Nigeria	Maske des Obalufon, Heiliger König (*oni*) von Ife, Kupfer	h 36,6 cm
	Masker van Obalufon, heilige koning (*oni*) van Ife, koper	14.4 in.
	Máscara de Obalufon, rey sagrado (*oni*) de Ife, cobre	National Museum of Ife, Ife

Ife, Nigeria
Portrait of king's head (*oni*) with the god
of the sea Olukun often identified, brass
Darstellung eines Herrscherkopfes (*oni*) manchmal
bezeichnet als Kopf des Meeresgottes Olukun,
Messing
Portret van een vorst (*oni*), soms geïdentificeerd
met de zeegod Olukun, messing
Busto de soberano (*oni*) a veces identificado
con el dios del mar Olukun, latón
1100–1400
h 34 cm / 13.3 in.
British Museum, London

Ife, Nigeria
Bust of king (*oni*), brass
Büste des Herrschers (*oni*), Messing
Buste van vorst (*oni*), messing
Busto de soberano (*oni*), latón
1500–1600
National Museum of Ife, Ife

Ife, Nigeria
Statue of king (*oni*), brass
Statue des Herrschers (*oni*), Messing
Standbeeld van soeverein (*oni*), messing
Estatua de soberano (*oni*), latón
1300–1500
h 47,1 cm / 18.5 in.
National Museum of Ife, Ife

Jebba, Nigeria   Warrior, bronze and tin   1300–1400
   Krieger, Bronze und Zinn   h 116 cm / 45.7 in.
   Krijger, brons en tin   National Museum,
   Guerrero, bronce y estaño   Lagos

▶ Jebba, Nigeria   Archer and details, bronze and tin   1380–1420
   Bogenschütze und Details, Bronze und Zinn   h 94,8 cm / 37.4 in.
   Boogschutter en details, brons en tin   National Museum,
   Arquero y detalles, bronce y estaño   Lagos

Tada, Nigeria
Seated figure, probably a portrait
by Tsoede, legendary founders
of the kingdon of Nupe, copper
Sitzende Figur, wahrscheinlich Darstellung
des Tsoede, legendärer Begründer
des Königreiches Nupe, Kupfer
Zittende figuur, waarschijnlijk een portret
van Tsoede, legendarische stichter van het
koninkrijk van de Nupe, koper
Personaje sentado, posible retrato
de Tsoede, mítico fundador
del reino de Nupe, cobre
ca. 1280–1320
h 53,2 cm / 21 in.
National Museum, Lagos

Kingdom of Benin
Königreich Benin
Koninkrijk van Benin
Reino de Benín, Nigeria
Belt mask,
ivory, iron and copper
Gürtelmaske,
Elfenbein, Eisen, Kupfer
Riemmasker,
ivoor, ijzer, koper
Máscara de cinturón, marfil,
hierro y cobre
1500–1600
h 23,8 cm / 9.4 in.
The Metropolitan Museum
of Art, New York

Kingdom of Benin / Königreich Benin
Koninkrijk van Benin / Reino de Benín, Nigeria
Head of queen mother and detail, brass
Kopf der Königin Mutter und Detail, Messing
Hoofd van een koningin-moeder en detail, messing
Cabeza de reina madre y detalle, latón
1500–1600
h 34 cm / 13.3 in.
National Museum of Lagos, Lagos

◄ **Kingdom of Benin / Königreich Benin**
Koninkrijk van Benin / Reino de Benín, Nigeria
Commemorative head of a king (*oba*), brass
Kopf zum Gedenken des Herrschers (*oba*), Messing
Commemoratief hoofd van vorst (*oba*), messing
Cabeza conmemorativa de soberano (*oba*), latón
1400–1600
h 20,8 cm / 8.1 in.
National Museum of Lagos, Lagos

▌ *These heads may have had a commemorative function or could be an artistic representation of war trophies - the heads of slain enemies - and were used as supports for elephant tusks. The powers of the king (Oba) were very broad, both legislative, executive and judicial.*

▌ *Diese Köpfe könnten eine Gedenkfunktion gehabt haben oder die künstlerische Aufarbeitung der Kriegstrophäen, der Köpfe der erschossenen Feinde, gewesen sein. Sie dienten als Stütze von Elefantenstoßzähnen, die auf der Spitze aufgesetzt waren. Die Macht des Königs (Oba) war weit verbreitet und galt auch für die Legislative, die Exekutive und die Gerichte.*

▌ *Deze koppen kunnen een herdenkende werking hebben gehad of zijn een artistieke herbewerking van trofeeën van de oorlog, de hoofden van gedode vijanden. De steunen maakten ze van slagtanden van olifanten en plaatsten ze bovenop. De bevoegdheden van de koning (oba) waren zeer uitgebreid en omvatten de wetgeving, de uitvoerende en de rechterlijke macht.*

▌ *Estas cabezas podrían haber tenido una función conmemorativa o también podrían ser la reelaboración artística de trofeos de guerra, de las cabezas de los enemigos asesinados. Funcionaban como apoyo para los colmillos de elefante ensartados en su parte superior. Los poderes del rey (oba) tenían un gran alcance e incluían la esfera legislativa, ejecutiva y judicial.*

Kingdom of Benin / Königreich Benin
Koninkrijk van Benin / Reino de Benín, Nigeria
Commemorative head of a king (*oba*), brass
Kopf zum Gedenken des Herrschers (*oba*), Messing
Commemoratief hoofd van vorst (*oba*), messing
Cabeza conmemorativa de soberano (*oba*), latón
1400–1600
h 20,8 cm / 8.1 in.
National Museum of Lagos, Lagos

Kingdom of Benin / Königreich Benin
Koninkrijk van Benin / Reino de Benín, Nigeria
Commemorative head of a king (*oba*), brass
Kopf zum Gedenken des Herrschers (*oba*), Messing
Commemoratief hoofd van vorst (*oba*), messing
Cabeza conmemorativa de soberano (*oba*), latón
1800–1900
h 45,7 cm / 18 in.
The Metropolitan Museum of Art, New York

◀ **Kingdom of Benin / Königreich Benin**
Koninkrijk van Benin / Reino de Benín, Nigeria
Commemorative head of a king (*oba*), brass
Andenkenkopf eines Herrschers (*oba*), Messing
Herdenkingsportret van een vorst (*oba*), messing
Cabeza conmemorativa de soberano (*oba*), latón
ca. 1550
h 23,5 cm / 9.3 in.
The Metropolitan Museum of Art, New York

**Kingdom of Benin / Königreich Benin
Koninkrijk van Benin / Reino de Benín,
Nigeria**
Figure of a Court Herald, brass
Figur eines Hofbeamten, Messing
Figuur van de hofboodschapper, messing
Figura de mensajero de corte, latón
1500–1600
h 65 cm / 25.6 in.
National Museum of Lagos, Lagos

Kingdom of Benin / Königreich Benin
Koninkrijk van Benin / Reino de Benín,
Nigeria
Female figure representing a princess, bronze
Sitzende Figur einer Prinzessin, Bronze
Vrouwenfiguur van een prinses, brons
Figura femenina que representa una princesa, bronce
1600–1800
h 46 cm / 18.1 in.
Ethnologisches Museum, Berlin

Kingdom of Benin / Königreich Benin
Koninkrijk van Benin / Reino de Benín, Nigeria
Horn player, detail, brass
Hornbläser, Detail, Messing
Hoornspeler, detail, messing
Músico que toca el cuerno, detalle, latón
1550–1680
h 63 cm / 24.8 in.
The Metropolitan Museum of Art, New York

Kingdom of Benin / Königreich Benin
Koninkrijk van Benin / Reino de Benín, Nigeria
Plaque depicting the king (*oba*) and his servants
and detail, brass
Platte, die den Herrscher (*oba*) und die Betreuer
darstellt und Detail, Messing
Plakaat ter beeltenis van de vorst (*oba*) en de
verplegers en detail, messing
Placa representando al soberano (*oba*) y sus soldato
y detalle, latón
1600–1700
h 51,6 cm / 20.3 in.
National Museum of Lagos, Lagos

▶ Kingdom of Benin / Königreich Benin
Koninkrijk van Benin / Reino de Benín, Nigeria
Plaque depicting two men dancing
while hanging from ropes, brass
Platte, die zwei an Seilen
aufgehängte Männer darstellt, Messing
Plaque afbeelding van twee mannen
opgehangen aan touwen, messing
Placa representando dos hombres
colgados de cuerdas, latón
1500–1600
h 43,6 cm / 17.1 in.
National Museum of Lagos, Lagos

XVIII, 6.

98
1-15
51

**Kingdom of Benin / Königreich Benin
Koninkrijk van Benin
Reino de Benín, Nigeria**
Plaque depicting a ruler in military dress
with his servants
Platte, die einen Herrscher in Militärkleidung
und seine Diener darstellt
Plaque afbeelding van een hoofd
militaire kleding en zijn knechten
Placa representando un jefe
con trajes militares y sus servidores
1600–1700
British Museum, London

▶ **Kingdom of Benin / Königreich Benin
Koninkrijk van Benin / Reino de Benín,
Nigeria**
Plaque showing the *Oba* of Benin
entering his palace
Reliefplatte, die den Einzug des *Oba*
von Benin in seinen Palast, Messing
Plaque in reliëf die de ingang toont naar het
paleis van de *Oba* van Benin, messing
Placa en relieve que muestra el ingreso
al palacio del *Oba* de Benín, latón
ca. 1600–1700
Museum für Völkerkunde, Berlin

**Kingdom of Benin / Königreich Benin
Koninkrijk van Benin / Reino de Benín,
Nigeria**

Embossed plaque showing the entrance of the *Oba* palace in Benin, brass
Reliefplatte, die den Eingang in den Palast des *Oba* von Benin zeigt, Messing
Reliëfplaat die de paleisingang toont van de *Oba* van Benin, messing
Placa en relievo que muestra la entrada al palacio del *Oba* del Benin, latón

1500–1700
h 52 cm / 20.5 in.
Ethnologisches Museum, Berlin

◄ **Kingdom of Benin**
Königreich Benin
Koninkrijk van Benin
Reino de Benín, Nigeria

Plaque with court servants, bronze
Reliefplatte mit den Bediensteten
des Hofes, Bronze
Reliëfplaat met hofdienaren, brons
Placa con sirvientes de la corte,
bronce

1580–1620
h 48,3 cm / 19 in.
National Museum,
Lagos

Kingdom of Benin
Königreich Benin
Koninkrijk van Benin
Reino de Benín, Nigeria

Plaque with Portuguese soldier, bronze
Reliefplatte mit portugiesischem Soldat, Bronze
Reliëfplaat met een Portugese soldaat, brons
Placa con soldado portugués, bronce

1500–1700
h 49,2 cm / 19.4 in.
National Museum,
Lagos

Kingdom of Benin
Königreich Benin
Koninkrijk van Benin
Reino de Benín, Nigeria
Plaque depicting the *Oba* butchers
sacrificing a cow, with detail
Reliefplatte mit den Schlachtern
des *Oba* bei der Opferung einer Kuh,
mit Detail
Reliëfplaat met een afbeelding van de slagers
van de *Oba* die een koe offeren, en detail
Placa que representa a los carniceros del *Oba*
mientras sacrifican una vaca y detalle
ca. 1600–1620
British Museum, London

▶ Kingdom of Benin
Königreich Benin
Koninkrijk van Benin
Reino de Benín, Nigeria
Plaque depicting leopard hunt,
with detail, bronze
Reliefplatte mit einer Szene
aus einer Leopardenjagd, mit Detail, Bronze
Reliëfplaat met luipaardjacht, en detail, brons
Placa con escena de caza
del leopardo y detalle, bronce
1500–1700
h cm 55 / 21.7 in.
Museum für Völkerkunde, Berlin

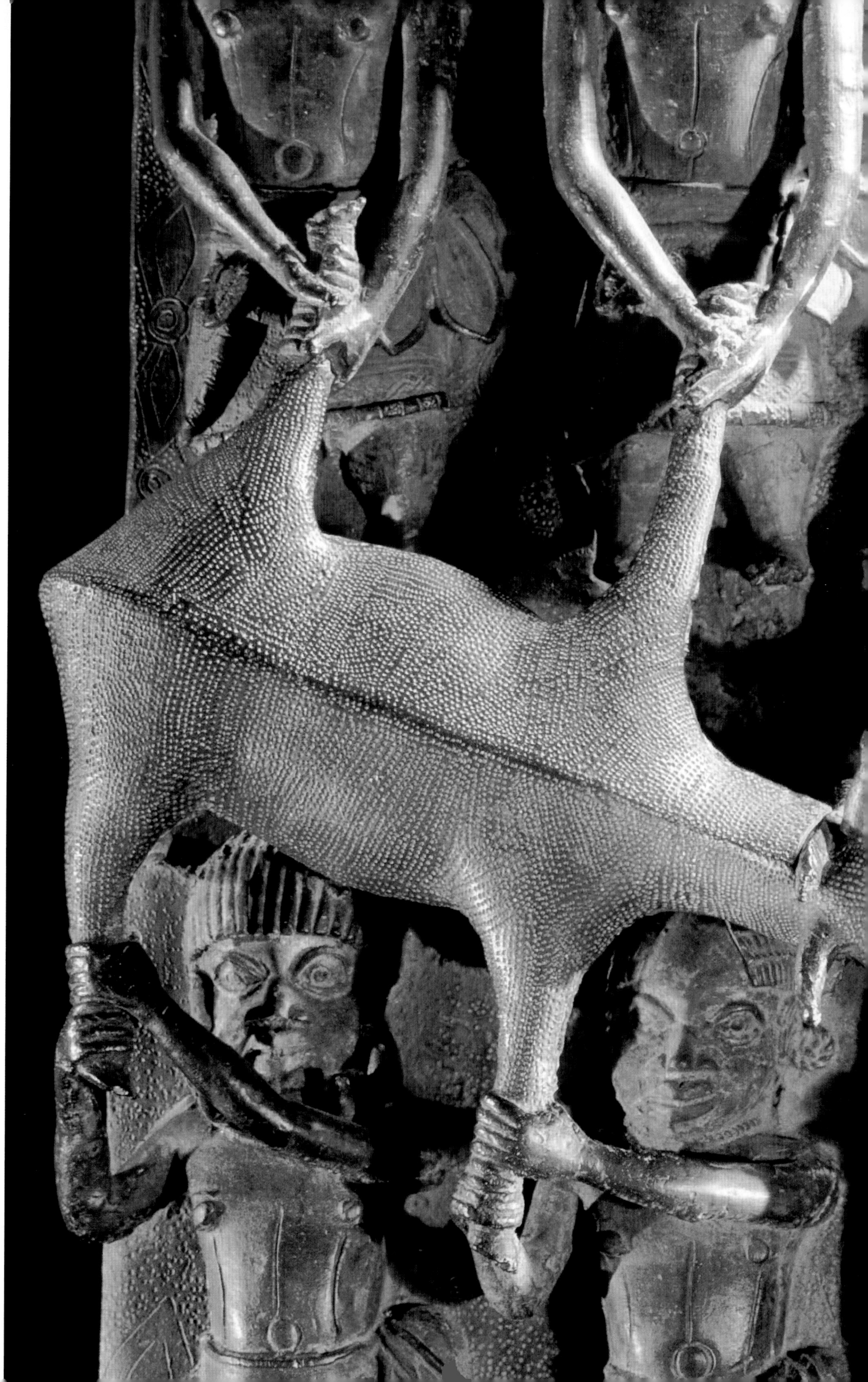

Kingdom of Benin
Königreich Benin
Koninkrijk van Benin
Reino de Benín, Nigeria

Plaque which decorated the *Oba* palace
in Benin with depiction of a snake
Reliefplatte mit Schlangenfigur, die den Palast
der *Oba* von Benin zierte
Reliëfplaat die het paleis van de *Oba*'s van
Benin sierde met de afbeelding van een slang
Placa que decoraba el palacio del *Oba* del
Benin con la representación de una serpiente

1600–1700

▶ **Kingdom of Benin**
Königreich Benin
Koninkrijk van Benin
Reino de Benín, Nigeria

Plaque which decorated the *Oba* palace
in Benin with figure of alligator
Reliefplatte mit Alligatorfigur,
die den Palast der *Oba* von Benin zierte
Reliëfplaat die het paleis van de *Oba*'s van Benin
sierde met de afbeelding van een alligator
Placa que decoraba el palacio del *Oba*
del Benin con figura de cocodrilo

ca. 1680–1700
Museum
für Völkerkunde,
Berlin

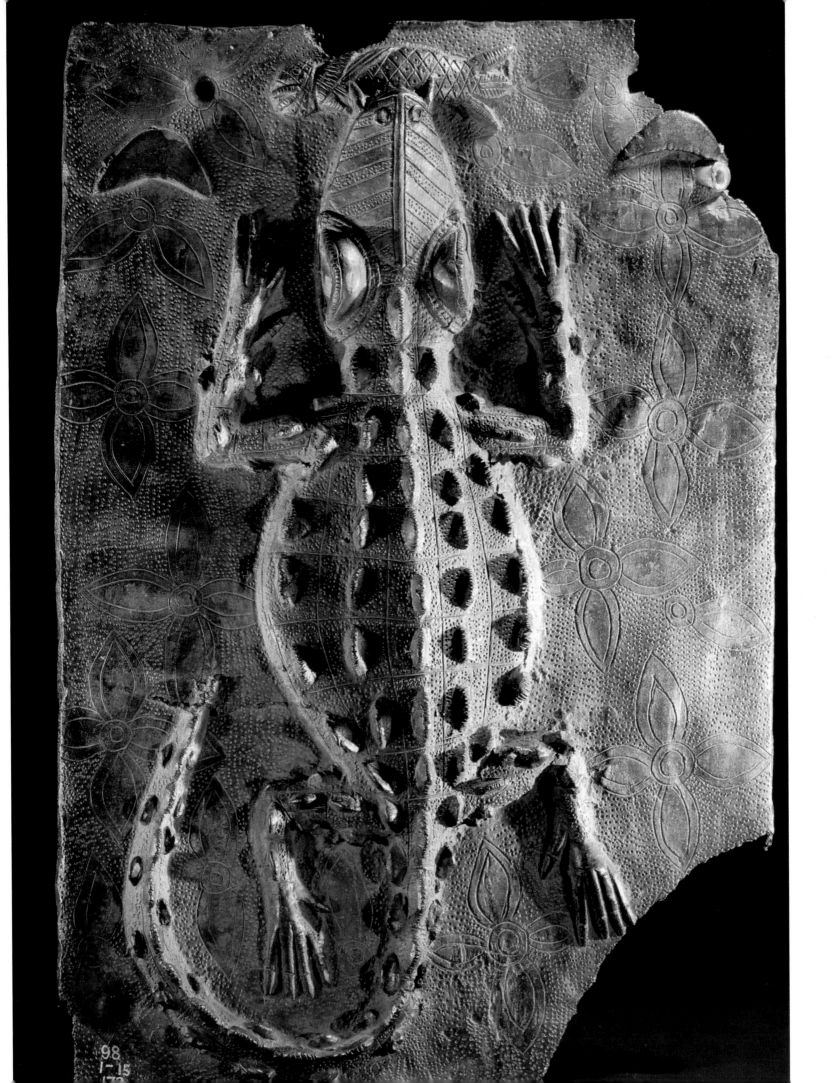

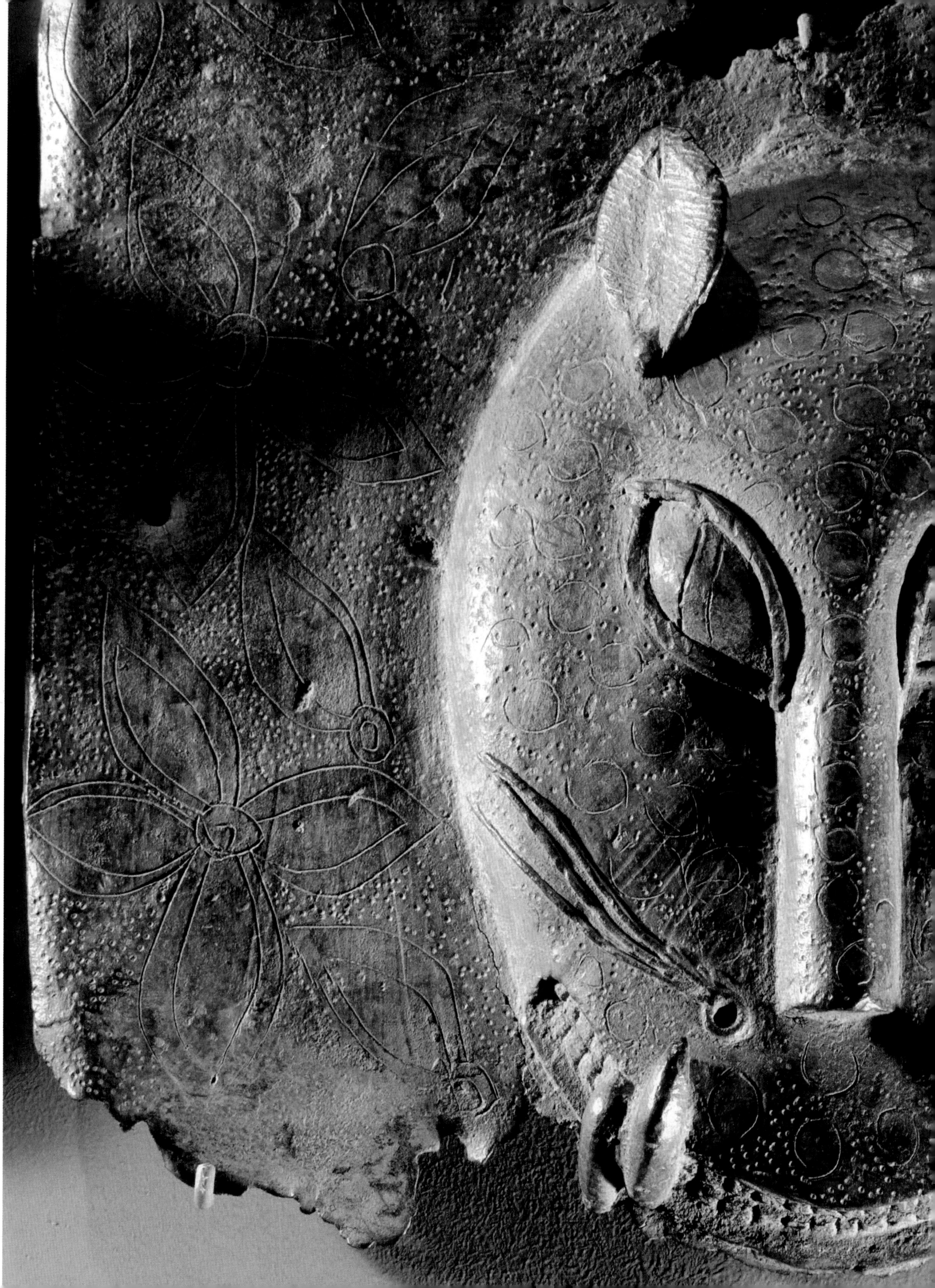

Kingdom of Benin
Königreich Benin
Koninkrijk van Benin
Reino de Benín, Nigeria
Plaque which decorated the *Oba* palace in Benin
with figure of a growling leopard
Reliefplatte mit knurrendem Leoparden,
die den Palast der *Oba* von Benin zierte
Reliëfplaat die het paleis van de *Oba*'s van Benin
sierde met de afbeelding van een grommende luipaard
Placa que decoraba el palacio del *Oba* del Benin
con figura de leopardo que ruge
ca. 1680–1700
Museum für Völkerkunde, Berlin

Owo, Nigeria
Pendant in the shape
of the head of a ram, bronze
Anhänger in Form
eines Widderkopfes, Bronze
Hanger on de vorm
van een ramskop, brons
Pendiente con forma de cabeza
de carnero, bronce
1400–1500
h 28,4 cm / 11.2 in.
National Museum, Lagos

Kingdom of Benin / Königreich Benin
Koninkrijk van Benin/ Reino de Benín, Nigeria
Container used in rituals, brass
Rituelles Gefäß, Messing
Rituele vaas, messing
Vasija ritual, latón
1600–1700
h 23,6 cm / 9.2 in.
National Museum of Lagos, Lagos

Kingdom of Benin / Königreich Benin
Koninkrijk van Benin / Reino de Benín, Nigeria
Two leopards, brass
Leopardenpaar, Messing
Stel luipaarden, messing
Pareja de leopardos, latón
1500–1600
h 69 cm / 27.1 in.
National Museum of Lagos, Lagos

Kingdom of Benin   Container used in rituals, brass   1600–1700
Königreich Benin   Rituelles Gefäß, Messing   h 23,6 cm / 9.2 in.
Koninkrijk van Benin   Rituele vaas, messing   National Museum
Reino de Benín, Nigeria   Vasija ritual, latón   of Lagos, Lagos

▶ Kingdom of Benin   Rooster (*Opka*), brass   1400–1500
Königreich Benin   Hahnfigur (*okpa*), Messing   h 51 cm / 20 in.
Koninkrijk van Benin   Figuur van een haan (*okpa*), messing   National Museum
Reino de Benín, Nigeria   Figura de gallo (*okpa*), latón   of Lagos, Lagos

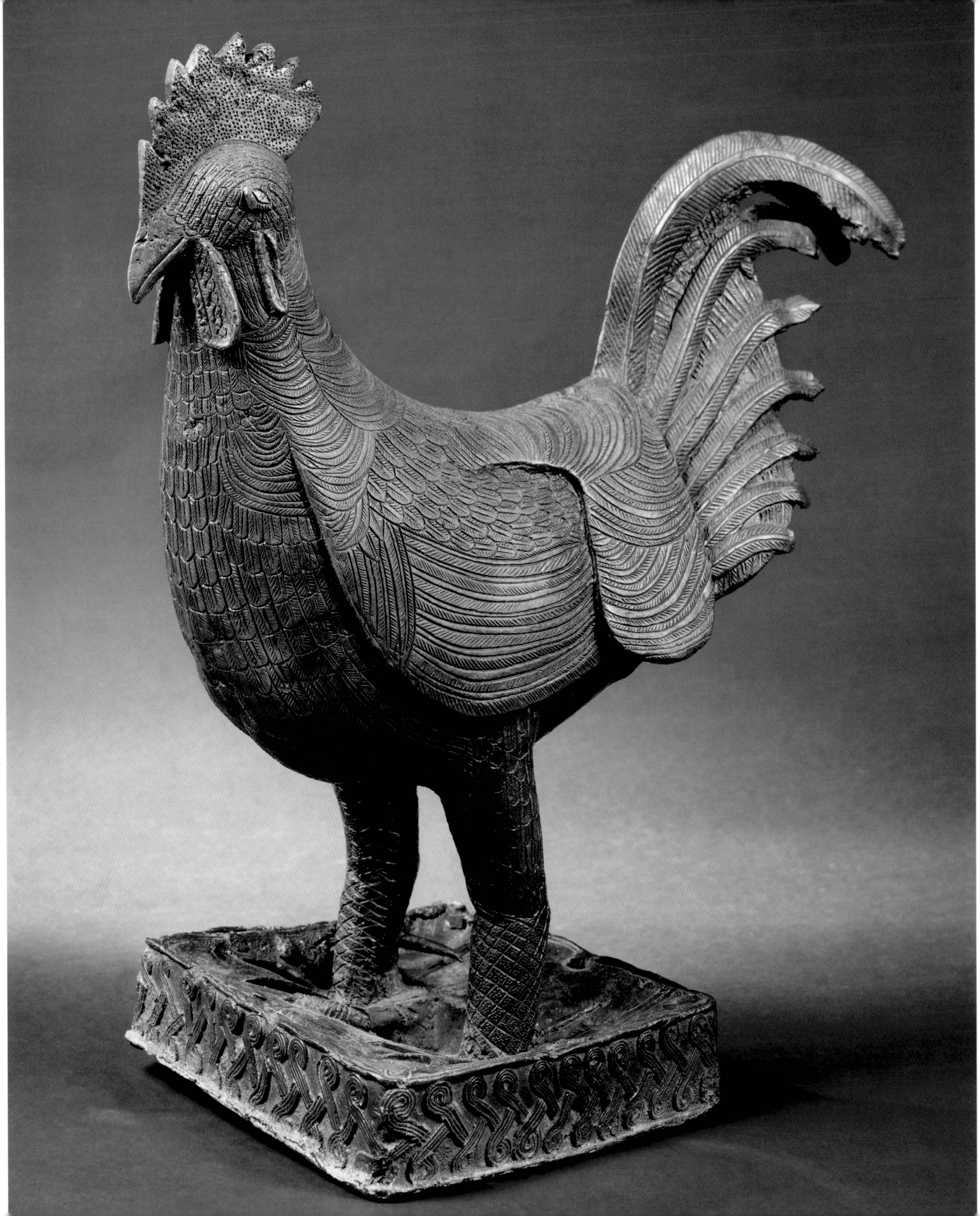

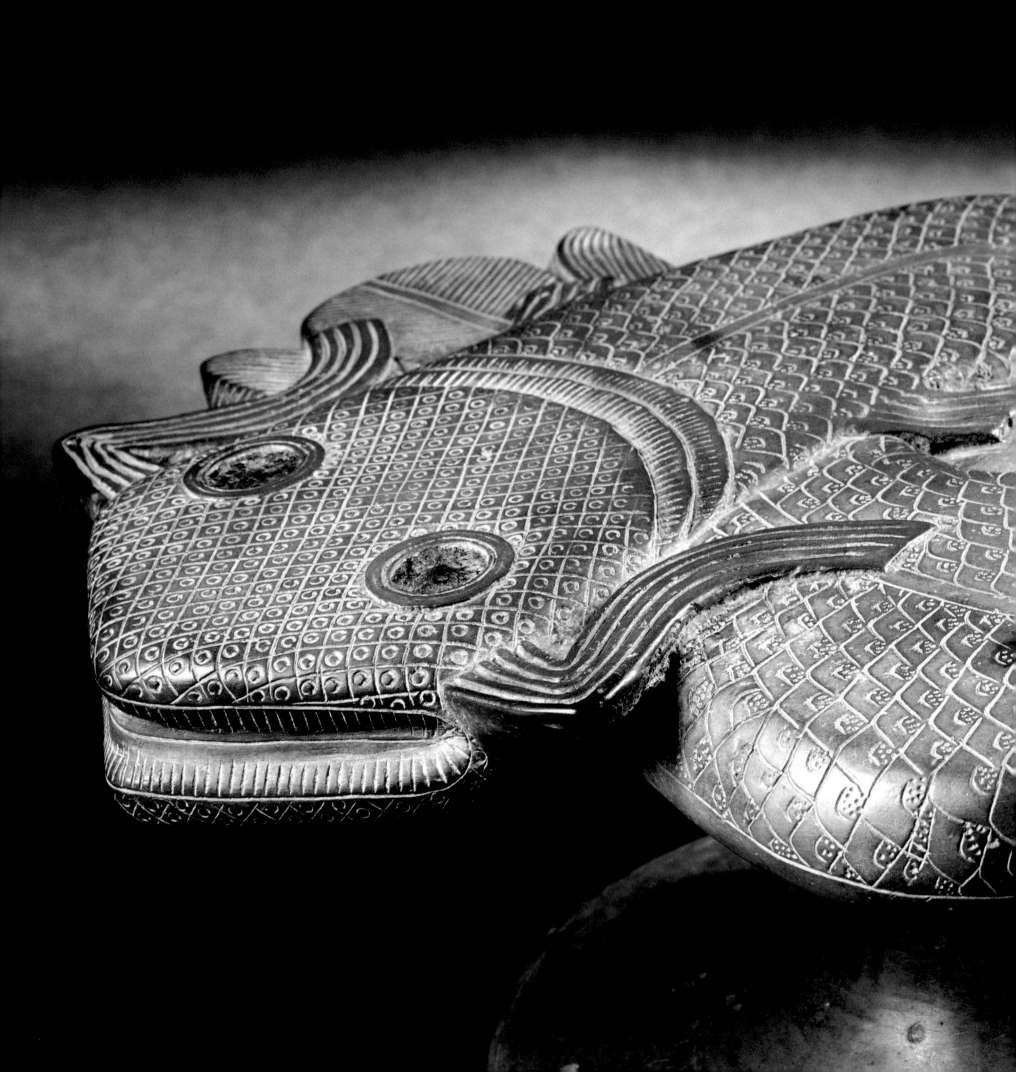

Esie, Nigeria
Seated figure with sword and seated figure, stone
Sitzende Person mit Schwert und sitzende Person, Stein
Zittend figuur met zwaard en zittend figuur, stenen
Personaje sentado con espada y personaje sentado, piedra
ante 1850
National Museum of Esie, Esie

Yoruba, Nigeria Figures for the twins cult (*Ibeji*)
Figuren für den Zwillingskult (*ibeji*)
Figuren voor de tweelingcultus (*ibeji*)
Figuras para el culto de los gemelos (*ibeji*)

1900–2000
Philip Goldman
Collection, London

▶ **Yoruba,
Nigeria**

Figure for twins cult (*Ibeji*), wood, beads, metal
Figur für den Zwillingskult (*ibeji*), Holz, Perlen, Metall
Figuur voor de tweelingcultus (*ibej*), hout, kralen,
metaal
Figura para el culto de los gemelos (*ibeji*), madera,
cuentas, metal

1900–1920
h 26,67 cm
10.4 in.
Yale University Art
Gallery, New Haven

The Yoruba regard the birth of twins as auspicious. When a twin dies, a statue is made that will hold its spirit; the mother will take care of it, dress it, and feed it symbolically as if it were alive. The statues are small, but the child is always represented with the features of the adult it should have become.

Bei den Yoruba gilt die Geburt von Zwilling als Glücksereignis. Wenn ein Zwilling stirbt wird für ihn eine Statue gemeißelt, die seinen Geist aufnimmt. Die Mutter wird sie symbolisch versorgen, kleiden und nähren, wie wenn sie lebendig wäre. Die Statuen sind klein, aber das Kind wird immer mit den Zügen des Erwachsenen dargestellt, zu dem es geworden wäre.

Onder de Yoruba werd de geboorte van tweelingen beschouwd als een gelukkige gebeurtenis. Wanneer een tweeling sterft, werd voor hem een standbeeld gekerfd, dat het huis van de geest zal zijn; de moeder zal voor hem zorgen, kleden en voeden symbolisch zoals toen hij nog leefde. De beelden zijn klein, maar het kind is altijd afgebeeld met de kenmerken van de volwassene, die hij moest worden.

Entre los Yoruba el nacimiento de gemelos es considerado un evento afortunado. Cuando un gemelo muere se esculpe para él una estatua que albergará su espíritu; la madre lo cuidará, vestirá y nutrirá simbólicamente como si estuviera vivo. Las estatuas son de pequeñas dimensiones, pero el niño es representado siempre con los rasgos del adulto en el que se debería haber convertido.

Yoruba, Nigeria
Gelede cult mask, wood
Kultmaske Gelede, Holz
Masker van de Gelede cultus, hout
Máscara del culto Gelede, madera
h 30 cm / 11.8 in.
Musée du quai Branly, Paris

◀ **Yoruba, Nigeria**
Gelede cult mask, wood
Kultmaske Gelede, Holz
Masker van de Gelede cultus, hout
Máscara del culto Gelede, madera
1800–2000
26,035 cm / 10.25 in.
The Metropolitan Museum of Art, New York

Yoruba, Nigeria
Gelede cult mask, wood
Kultmaske Gelede, Holz
Masker van de Gelede
cultus, hout
Máscara del culto Gelede,
madera
1900-2000
h. 57,2 cm / 22.6 in.
The Metropolitan Museum
of Art, New York

Asamu Fagbite, Benin
Benín
Gelede cult mask, wood
Kultmaske Gelede, Holz
Masker van de Gelede cultus, hout
Máscara del culto Gelede, madera
1930–1971
h 104,1 cm / 41 in.
The Metropolitan Museum
of Art, New York

▌ *Each lineage possesses a mask that represents its founding father. Once, the most powerful Egungun masks were charged with killing witches and were present at the execution of kings condemned to death. These masks may be made completely of fabric, or may be carved from wood.*

▌ *Jedes Geschlecht besitzt eine Maske, nämlich die des Gründervaters. Früher hatten die mächtigsten Egungun-Masken die Aufgabe, Hexen umzubringen, und sie wohnten der Hinrichtung der zu Tode verurteilten Könige bei. Diese Masken können ausschließlich aus Stoffen bestehen oder einen in Holz geschnitzten Kopf haben.*

▌ *Elk geslacht bezit een masker, dat het masker is van de stichtende voorouder. De machtigste egungun maskers hadden de macht heksen te doden en waren aanwezig bij de executie van koningen die ter dood veroordeeld waren. Deze maskers kunnen alleen worden samengesteld uit stoffen of het hoofd uit hout gesneden.*

▌ *Cada linaje posee una máscara que es la del antepasado fundador. En una época, las máscaras egungun más potentes tenían el deber de matar a las brujas y presenciaban la ejecución de los reyes condenados a muerte. Estas máscaras pueden estar exclusivamente hechas de tejidos, o también tener la cabeza esculpida en madera.*

Bamgboye, Nigeria
Epa cult mask, wood, pigments
Kultmaske Epa, Holz, Pigmente
Masker van de Epa cultus, hout, pigmenten
Máscara del culto Epa, madera, pigmentos
1920
h 55 cm / 21.6 in.
The Newark Museum of Art, Newark

▶ **Yoruba, Nigeria**
Egungun costume, cloth, leather, beads, shells
Tracht der Egungu-Maske,
Stoff, Leder, Perlen, Muscheln
Kostuum van egungunmasker,
stof, huid, kralen, schelpen
Traje de la máscara egungun,
tela, piel, cuentas, conchas
1900–2000
h 167,64 cm / 66 in.
The Newark Museum of Art, Newark

Owo Yoruba, Nigeria   Bracelet, ivory   1600–1900
                          Armband, Elfenbein   h 19,05 cm / 7.5 in.
                          Armband, ivoor   The Metropolitan
                          Pulsera, marfil   Museum of Art, New York

▶ **Owo Yoruba, Nigeria**   Vessel used in rituals, ivory   1600–1800
                            Rituelles Gefäß, Elfenbein   h 20,9 cm / 8.2 in.
                            Rituele vaas, ivoor   The Metropolitan
                            Vasija ritual, marfil   Museum of Art, New York

Owo Yoruba, Nigeria
Engraved cup, ivory
Geschnitzte Tasse, Elfenbein
Uitgesneden ivoren beker, ivoor
Taza tallada, marfil
1400–1500
Entwistle Gallery, London

Owo Yoruba, Nigeria

Details of a jug with engraved human figures and animals, ivory
Behältnis mit geschnitzten Menschen- und Tierfiguren, Elfenbein
Details van vaas met uitgesneden mens- en dierfiguren, ivoor
Detalles de recipiente con figuras humanas y animales tallados, marfil

1700–1800
h 23,6 cm / 9.2 in.
Ethnologisches Museum, Berlin

Owo Yoruba,
Nigeria

Divination vessel with caryatid (*Agere Ifa*), ivory
Rituelles Gefäß mit Säulenheiligem (*agere Ifa*), Elfenbein
Rituele vaas met kariatide (*Agere Ifa*), ivoor
Vasija ritual con cariátide (*agere Ifa*), marfil

1600–1900
The Metropolitan
Museum of Art,
New York

▶ **Yoruba,**
Nigeria

Figurative cup, terracotta
Figurativer Kelch, Terrakotta
Figuratieve beker, terracotta
Copa figurada, terracota

h 42,6 cm / 16.7 in.
Musée du quai Branly,
Paris

◀ **Owo Yoruba, Nigeria**
Mask in the shape of ram head, ivory, wood or coconut shell
Maske in Form eines Widderkopfes, Elfenbein, Holz oder Kokosnussschale
Masker in de vorm van een ramskop, ivoor, hout of kokosnootschil
Máscara con forma de cabeza de carnero, marfil, madera o cáscara de nuez de coco

1600–1900
h 15,2 cm / 5.9 in.
The Metropolitan Museum of Art, New York

Owo Yoruba, Nigeria
Mask in the shape of crocodile head, ivory, wood or coconut shell
Maske in Form eines Krokodilskopfes, Elfenbein, Holz oder Kokosnussschale
Masker in de vorm van een krokodillenkop, ivoor, hout of kokosnootschil
Máscara con forma de cabeza de cocodrilo, marfil, madera o cáscara de nuez de coco

1600–1900
h 14 cm / 5.5 in.
The Metropolitan Museum of Art, New York

■ *Divination is mediated by the gods Eshu and Ifa, who exist on the threshold of the invisible world of spirits and deities* (orisha)*, and bring their messages to human beings.*
While Ifa represents order, Eshu expresses disorder and change. Both are necessary for the proper functioning of the world.
■ *Die Wahrsagung bedient sich der Vermittlung der Götter Eshu und Ifa, die sich auf der Schwelle des unsichtbaren Reiches der Geister und der Gottheiten* (Orisha)
befinden und den Menschen ihre Nachrichten überbringen. Während Ifa die Ordnung darstellt, steht Eshu für die Unordnung und Veränderung. Beide sind für das gute Funktionieren der Welt notwendig.
■ *De verafgoding vindt plaats door de bemiddeling van de goden Eshu en Ifa, die, geplaatst op de drempel van het onzichtbare koninkrijk van geesten en goden* (Orisha)*,*
hun boodschappen overbrengen voor de mensen. Waar Ifa orde vertegenwoordigt, daar staat Eshu voor wanorde en verandering. Beiden zijn nodig voor het goed functioneren van de wereld.
■ *La adivinación se vale de la mediación de los dioses Eshu e Ifa que, ubicados en el límite del reino invisible de los espíritus y de las deidades* (orisha)*,*
llevan sus mensajes a los hombres. Mientras Ifa representa el orden, Eshu expresa el desorden y el cambio. Ambos son necesarios para el buen funcionamiento del mundo.

Yoruba, **Nigeria**	Plate for divination (*Ifa*), wood Teller für das Wahrsagen (*Ifa*), Holz Bord voor waarzeggerij (*Ifa*), hout Plato para la adivinación (*Ifa*), madera	1890–1910 55,88 cm / 22 in. Yale University Art Gallery, New Haven	▶ **Yoruba,** **Nigeria**	Plate for divination (*Ifa*), wood Teller für das Wahrsagen (*Ifa*), Holz Bord voor divinatie (*Ifa*), hout Plato para la adivinación (*Ifa*), madera	37,7 x 38 cm / 14.8 x 15 in. Musée du quai Branly, Paris

**Owo Yoruba,
Nigeria**

Ceremonial sword, ivory, wood, and shells
Zeremonienschwert, Elfenbein, Holz, Muscheln
Ceremonieel zwaard, ivoor, hout, schelpen
Espada ceremonial, marfil, madera, conchas

1600–1900
h 48,9 cm / 9.2 in.
The Metropolitan
Museum of Art,
New York

▶ **Yoruba,
Nigeria**

Ceremonial sword with sheath, cotton,
beads, brass, wood, rope
Zeremonienschwert mit Scheide,
Baumwolle, Perlen, Messing, Holz, Schnur
Ceremonieel zwaard met schede, katoen,
kralen, messing, hout, touw
Espada ceremonial con vaina, algodón,
cuentas, latón, madera, cuerda

1800–2000
l 139,7 cm / 55 in.
The Metropolitan
Museum of Art,
New York

Ekiti Yoruba, Nigeria
Veranda Post, wood and pigments
Verandapfosten, Holz und Pigmente
Verandamast, hout en pigmenten
Pilastra de galería, madera y pigmentos
ante 1938
h 180,3 cm / 71 in.
The Metropolitan Museum of Art, New York

◀ **Yoruba, Nigeria**
Door of Ekere-Ekiti Palace, wood and pigments
Palasttor von Ekere-Ekiti, Holz und Pigmente
Paleispoort van Ekere-Ekiti, hout en pigmenten
Puerta del palacio de Ekere-Ekiti, madera y pigmentos
ca. 1890
h 209 cm / 82.3 in.
British Museum, London

Yoruba, Nigeria
Mace of the God of Thunder, Shango,
wood and pigments
Stab des Donnergottes Shango,
Holz und Pigmente
Knuppel van de dondergod Shango,
hout en pigmenten
Maza del dios del trueno Shango,
madera y pigmentos
1800–2000
h 50 cm / 19.7 in.
Musée du quai Branly, Paris

◄ **Yoruba, Nigeria**
Mace of the God of Thunder, Shango,
wood and pigments
Stab des Donnergottes Shango,
Holz und Pigmente
Knuppel van de dondergod Shango,
hout en pigmenten
Maza del dios del trueno Shango,
madera y pigmentos
1800–2000
h 43 cm / 16.9 in.
Musée du quai Branly, Paris

Yoruba, Nigeria
Figure for altar of God of Thunder, Shango, wood
Altarfigur des Donnergottes Shango, Holz
Altaarfiguur voor de dondergod Shango, hout
Figura para el altar del dios del trueno Shango,
madera
1900–2000

▶ **Yoruba, Nigeria**
Shrine of god Shango with female figures
on show for the yearly celebration
Heiligtum des Gottes Shango mit weiblichen Figuren,
die anlässlich des Jahresfestes aufgestellt wurden
Heiligdom van de god Shango met uitgestalde
vrouwenfiguren ter gelegenheid van het jaarlijkse feest
Santuario del dios Shangó con figuras femeninas
que se muestran en ocasión de la fiesta anual
1900–2000
Ede, Nigeria

**Yoruba,
Nigeria**

Edan figure of the Ogboni society, brass
Embleme (*edan*) der Altengesellschaft
(Ogboni), Messing
Emblemen (*edan*) van de samenleving
van de ouderen (Ogboni), messing
Emblemas (*edan*) de la sociedad
de los ancianos (Ogboni), latón

1900–2000
h 13,47 cm / 5.31 in.
Musée du quai Branly,
Paris

**Yoruba,
Nigeria**

Edan figure of the Ogboni society, brass
Embleme (*edan*) der Altengesellschaft (Ogboni), Messing
Emblemen (*edan*) van de samenleving van de (Ogboni), messing
Emblemas (*edan*) de la sociedad de los ancianos (Ogboni), latón

1900–2000

❚ *These figurines, which are worn around the neck, are the emblem of the society of Ogboni elders. As instruments of ancestral action, they point out and punish the guilty during ordeals, during initiation they tell the person who owns them how long he will live; they cure illnesses, and protect their owners. The two figures whose heads are linked by a chain related to the Ogboni society's work of restoring cosmic order, unifying the universe divided between the feminine principle of earth and the masculine principle of heaven.*

❚ *Diese Figuren, die um den Hals getragen werden, sind Sinnbild der Gesellschaft der alten Ogboni. Als Werkzeuge der urzeitlichen Handlungen zeigen und bestrafen sie den Schuldigen in den Ordalien, verraten in der Initiation dem Eigentümer die Lebenszeit, pflegen seine Krankheiten und unterstützen ihn in seiner Verteidigung. Die zwei Figuren, deren Köpfe mit einem Kettchen verbunden sind, weisen auf die Handlung der kosmologischen Neuordnung in der Ogboni-Gesellschaft hin, die versucht die Einheit im Universum, das in das weibliche und Prinzip der Erde und das männliche Prinzip des Himmel aufgeteilt ist, zurückzugeben.*

❚ *Deze figuren, gedragen om de hals, zijn het embleem van de maatschappij van ouderen Ogboni. Als instrumenten van voorouderlijke handelingen identificeren en straffen ze schuldigen met beproevingen, bij de initiatie onthullen ze de eigenaar de lengte van zijn leven, genezen de ziekten en grijpen in voor zijn verdediging. De twee figuren waarvan de koppen zijn verbonden door een ketting, verwijzen naar de actie van kosmische herordening van de Ogboni maatschappij, die ernaar streeft de eenheid van het heelal verdeeld tussen het vrouwelijke principe van de aarde en het mannelijke van de hemel te herstellen.*

❚ *Estas figuras, llevadas al cuello, son el emblema de la sociedad de los ancianos Ogboni. Como herramientas de la acción ancestral indican y castigan al culpable en ordalías, en la iniciación revelan a su propietario el tiempo de su vida, curan las enfermedades e intervienen en su defensa. Las dos figuras cuyas cabezas están unidas por una cadenita, hacen referencia a la acción de reordenamiento cosmológico de la sociedad Ogboni, que trata de llevar unidad al universo dividido en el principio femenino de la tierra y el masculino del cielo.*

Yoruba, Nigeria
Example of emblem (*edan*)
of the Ogboni brotherhood, brass
Ein Emblem (*edan*)
der Ogboni-Bruderschaft, Messing
Exemplaar van een emblema (*edan*)
van de Ogboni-broederschap, messing
Ejemplo de emblema (*edan*)
de la fraternidad Ogboni, latón

▶ **Yoruba, Nigeria**
Printed *Adire* cloth, detail, cotton
Im Reservat bedruckter Stoff (*adire*),
Detail, Baumwolle
Stof bedrukt voor reserve (*adire*), detail, katoen
Tejido estampado por reserva (*adire*), detalle, algodón
1900–2000
The Newark Museum of Art, Newark

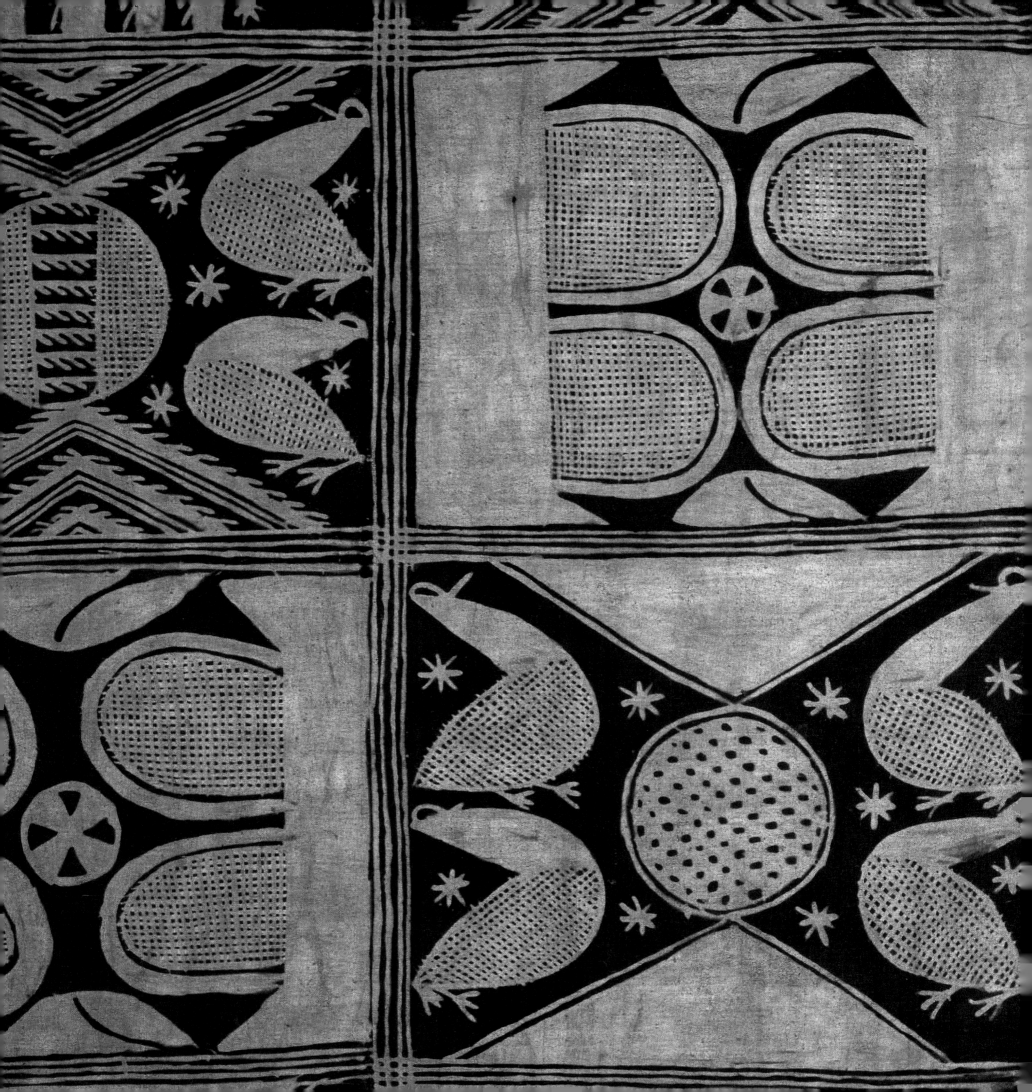

Igbo-Ukwu, Nigeria   Ritual bowl, bronze   800–1000
                         Rituelle Schüssel, Bronze   Ø 35 cm / 13.7 in.
                         Rituele kom, brons   National Museum of Lagos, Lagos
                         Cuenco ritual, bronce

Igbo-Ukwu, Nigeria
Ceremonial container in the form of a shell, bronze
Zeremoniengefäß in Schneckenform, Bronze
Ceremonieel schip in de vorm van een spiraal, brons
Recipiente ceremonial en forma de caracol, bronce
800–1000
35 cm / 13.7 in.
National Museum of Lagos, Lagos

▌ *Finds in Igbo Ukwu consist of a group of a few hundred objects associated with altars or tombs with human remains.*
They present dense geometric decorations and also several figurative elements such as small insects, snails, small birds, and chameleons.
▌ *Die Funde der Igbo-Ukwu stellen eine Gesamtheit von mehreren hundert Gegenständen dar, die Altären und Grabmalen mit menschlichen Überresten zugeschrieben werden.*
Sie präsentieren eine starke geometrische Verzierung und einige figurative Elemente wie kleine Insekten, Schnecken, Vögel und Chamäleons.
▌ *De vondsten van de Igbo-Ukwu zijn een samenstelling van enkele honderden voorwerpen, die verband houden met altaren of graven met menselijke resten.*
Ze hebben een dichte geometrische decoratie evenals enkele design elementen zoals kleine insecten, slakken, vogels en kameleons.
▌ *Los restos de Igbo-Ukwu forman un conjunto de varios centenares de objetos asociados a altares o tumbas con restos humanos.*
Presentan una densa decoración geométrica y también algunos elementos figurativos como pequeños insectos, caracoles, pajarillos y camaleones.

Igbo-Ukwu, Nigeria
Jug in the shape of a shell surmounted by a leopard, brass
Behältnis in Form einer Muschel, über die ein Leopard springt, Bronze
Houder in de vorm van een schelp met een luipaard, brons
Recipiente con forma de caracola con leopardo encima, bronce

800–1000
National Museum
of Lagos, Lagos

▶ **Igbo-Ukwu, Nigeria**
Ceremonial container, bronze
Zeremoniengefäß, Bronze
Ceremoniële schip, brons
Recipiente ceremonial, bronce

800–1000
h 20,3 cm / 7.9 in.
National Museum
of Lagos, Lagos

Ikengas *are altars dedicated to the personal spirit* (chi) *of Igbo warriors, the part of the individual that is not limited by the moral order of one's relatives: they celebrate individual success and sacrifices are made to them in order to favour the positive outcome of their undertakings. The horn is a symbol of fertility. Sometimes these sculptures (as in this case) are carried by soothsayers.*

Die Ikenga *sind dem persönlichen Geist* (Chi) *gewidmete Altare der Igbo-Krieger, der Teil des Menschen, der nicht von der moralischen Ordnung der Verwandtschaft eingeschränkt ist: Sie feiern den individuellen Erfolg und bringen diesem Opfer dar, um den guten Ausgang der Unternehmungen zu begünstigen. Die Hörner sind Symbol der Fruchtbarkeit. Manchmal sind diese Skulpturen (wie in diesem Fall) Teil der Ausstattung eines Wahrsagers.*

De Ikenga *altaren zijn gewijd aan de persoonlijke geest* (chi) *van de Igbo krijgers, het deel de persoon, dat niet beperkt wordt door de morele orde van verwantschap: ze vieren het individuele succes en aan hen worden offers gebracht om ze gunstig te stemmen voor een goed resultaat van een onderneming. De hoorns zijn symbolen van vruchtbaarheid. Vaak maken deze beelden (zoals in dit geval) deel uit van de handelingen van waarzeggers.*

Los ikenga *son altares dedicados al espíritu personal* (chi) *de los guerreros igbo, la parte de la persona no limitada por el orden moral del parentesco: celebran el éxito individual y a ellos se dirigen los sacrificios para propiciar el buen resultado de las empresas. Los cuernos son símbolo de fecundidad. A veces estas esculturas (como en este caso) forman parte de las herramientas usadas por los adivinos.*

Igbo, Nigeria
Figure of a deity (*Alusi*), wood and metal
Figur einer Gottheit (*alusi*), Holz und Metall
Figuur van goddelijkheid (*alusi*), hout en metaal
Figura de deidad (*alusi*), madera y metal
h 116 cm / 45.7 in.
Collezione Fernando Mussi, Monza

▶ **Igbo, Nigeria**
Personal altar of a warrior
(*Ikenga*), wood and pigments
Persönlicher Altar eines Kriegers
(*ikenga*), Holz und Pigmente
Persoonlijk altaar van strijder
(*ikenga*), hout en pigmenten
Altar personal de guerrero
(*ikenga*), madera y pigmentos
h 49 cm / 19.3 in.
Private collection / Private Sammlung
Privécollectie / Colección privada

▶ **Igbo, Nigeria**
Ikenga figure for divination, wood
Ikenga-Figur zu wahrsagerischen Zwecken, Holz
Figuur *ikenga* voor verafgoding, hout
Figura *ikenga* de uso adivinatorio, madera
1800–2000
Tara Collection, New York

Igbo or Idoma / Igbo oder Idoma
Igbo of Idoma / Igbo o Idoma, Nigeria
Mask, wood, cloth, and pigments
Maske, Holz, Stoff und Pigmente
Masker, hout, stof en pigmenten
Máscara, madera, tela y pigmentos
h 45,5 cm / 17.9 in.
Musée du quai Branly, Paris

▶ Igbo, Nigeria
Altar for the yam festival, terracotta
Altar für das Jamswurzel-Fest, Terrakotta
Altaar voor het igname feest, terracotta
Altar para la fiesta del ñame, terracota
h 46 cm / 18.1 in.
British Museum, London

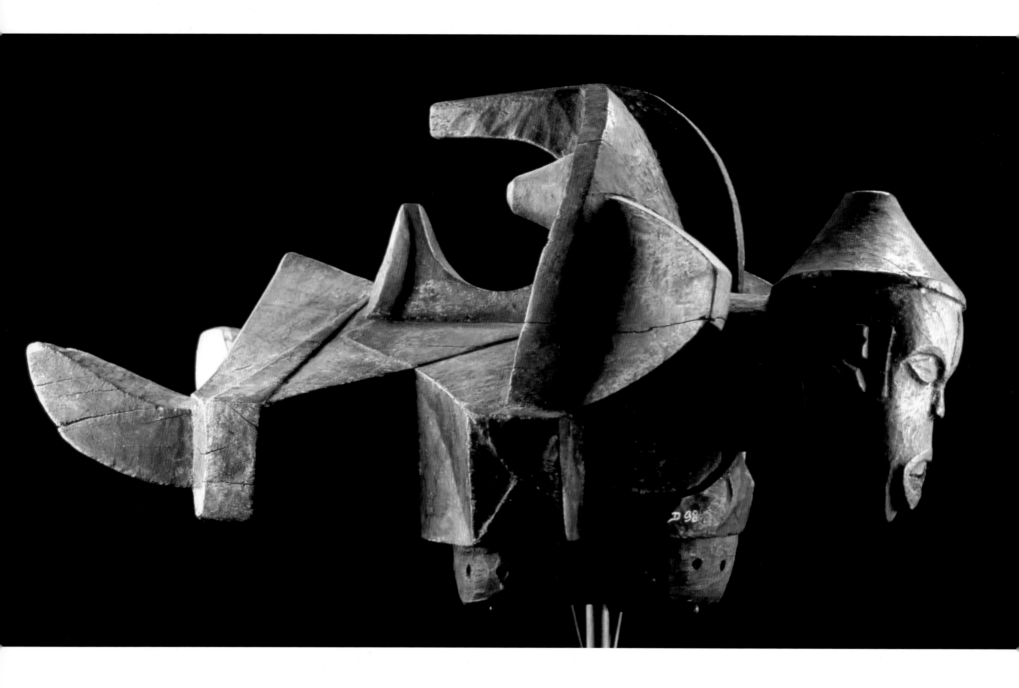

Igbo, Nigeria   Elephant mask (*Ogbodo Enyi*),
wood and pigments
Elefantenmaske (*ogbodo enyi*),
Holz und Pigmente
Olifantenmasker (*ogbodo enyi*),
hout en pigmenten
Máscara elefante (*ogbodo enyi*),
madera y pigmentos

h 51 cm / 20 in.
Private collection / Private Sammlung
Privécollectie / Colección privada

▶ **Igbo or Idoma**
Igbo oder Idoma
Igbo of Idoma
Igbo o Idoma,
Nigeria

Janus style helmet mask,
wood and pigments
Helmmaske in Form des Ianus,
Holz und Pigmente
Helmmasker janiform,
hout en pigmenten
Máscara yelmo de dos caras,
madera y pigmentos

h 67 cm / 26.3 in.
Musée du quai
Branly, Paris

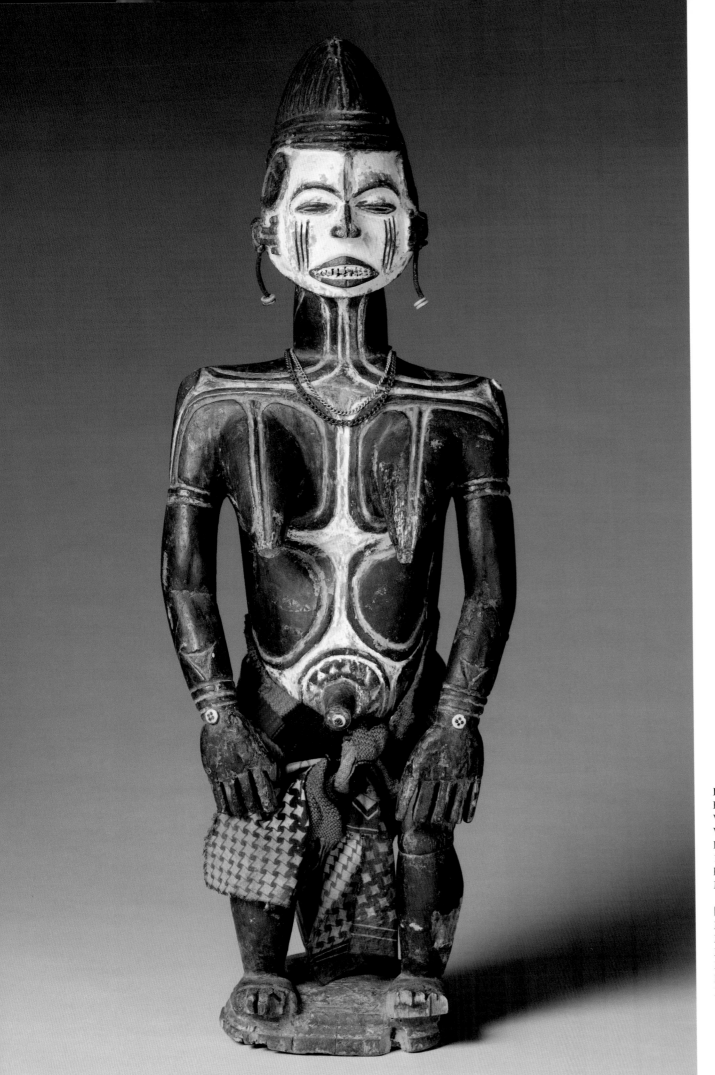

Idoma, Nigeria
Female figure, wood, pigments, cloth, shells, metal
Weibliche Figur, Holz, Pigmente, Stoff, Muscheln, Metall
Vrouwenfiguur, hout, pigmenten, stof, schelpen, metaal
Figura femenina, madera, pigmentos, tela, conchas, metal
1800–2000
h 72 cm / 28.3 in.
Musée du quai Branly, Paris

▶ **Urhobo, Nigeria**
Maternity figure, wood
Mutterschaft, Holz
Moederschap, hout
Maternidad, madera
h 142 cm / 55.9 in.
Musée du quai Branly, Paris

Idiok ekpo *masks are intentionally "ugly" because they personify the deceased who have lived a bad life; they are colored black or blue, they have rugged shapes, sometimes resembling skulls and grinding their teeth. They appear at night and shake frantically. The white color around their eyes is a distinctive sign of soothsayers-healers and their clairvoyance.*

Die Idiok Ekpo-*Masken sind bewusst "hässlich", weil sie die Toten verkörpern, die ein schlechtes Leben geführt haben. Sie sind schwarz und blau eingefärbt, haben harte Formen ähnlich wie Totenköpfe und blecken die Zähne. Sie erscheinen nachts und schütteln sich unermüdlich. Die weiße Farbe um die Augen ist das Unterscheidungsmerkmal der Wahrsager-Wunderheiler und ihrer Hellseherei.*

Idiok Ekpo *maskers zijn opzettelijk "slecht", want ze belichamen de doden, die een slecht leven hebben geleid; ze zijn zwart of blauw gekleurd, ruw gevormd, soms lijken ze op schedels en knarsen hun tanden, ze verschijnen 's nachts en zwaaien woest. De witte kleur rond de ogen is het kenmerk van de waarzeggers en genezers en van hun helderziendheid.*

Las máscaras idiok ekpo *son "feas" a propósito, porque personifican a los muertos que han llevado una mala vida; son de color negro o azul, tienen formas rudas, a veces se parecen a calaveras y rechinan los dientes. Aparecen de noche y se agitan frenéticamente. El color blanco en torno a los ojos es el signo distintivo de los adivinos-curadores y de su clarividencia.*

Ibibio, Nigeria
Ekpo society mask, wood and pigments
Maske der Gesellschaft Ekpo, Holz und Pigmente
Samenlevingsmasker Ekpo, hout en pigmenten
Máscara de la sociedad Ekpo, madera y pigmentos
1900–2000
Entwistle Gallery, London

◀ **Ijo, Nigeria**
Two-faced Malé Ijo figure, wood
Figur in Form des Ianus Male Ijo, Holz
Mannelijk janiform figuur Ijo, hout
Figura con dos caras Male Ijo, madera
h 72 cm / 28.3 in.
Ethnologisches Museum, Berlin

◀ **Ijo, Nigeria**
Anthropo-zoomorphic Efri cult figure, wood
Anthropozoomorphe Figur des Efri-Kults, Holz
Antropozoomorffiguur van de efri cultus, hout
Figura antropozoomorfa del culto efri, madera
1800
h 99 cm / 39 in.
British Museum, London

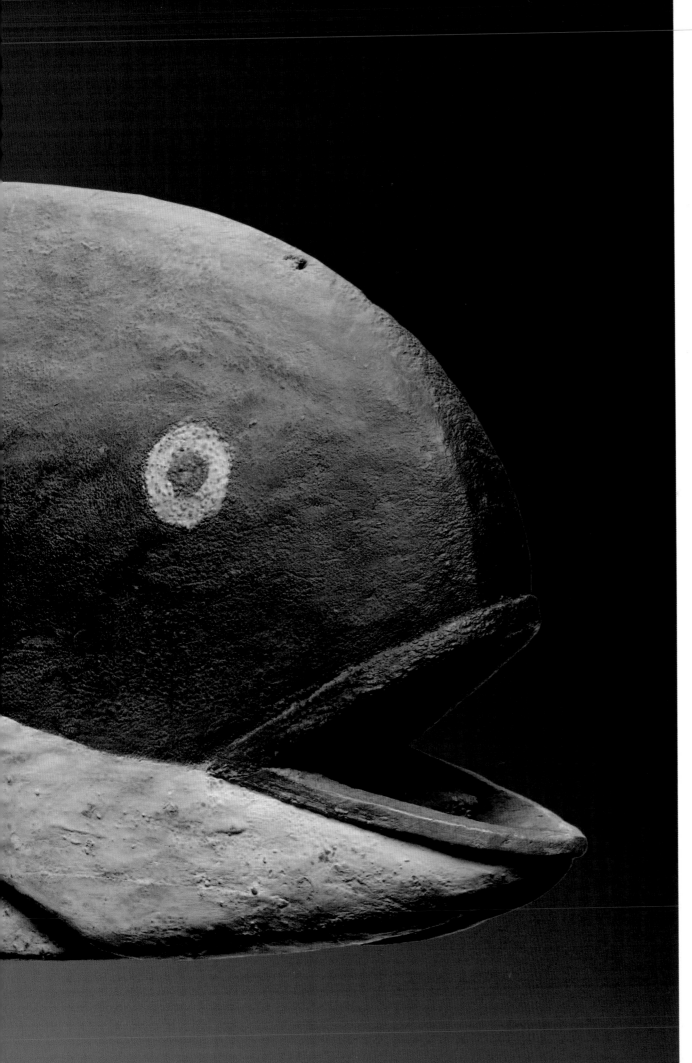

Ijo, Nigeria
Water spirit headdress, wood and pigments
Helm des Wassergeistes, Holz und Pigmente
Kruik van de watergeest, hout en pigmenten
Cimera de espíritu de las aguas, madera y pigmentos
l 67,2 cm / 26.4 in.
Musée du quai Branly, Paris

Ijo Kalabari, Nigeria
Ancestral screen (*nduen fobara*), wood, vegetable fibers
Grabplatte (*nduen fobara*), Holz, Pflanzenfasern, Pigmente
Begrafenispaneel (*nduen fobara*), hout,
plantaardige vezels, pigmenten
Panel funerario (*nduen fobara*), madera,
fibras vegetales, pigmentos
1900–2000
Entwistle Gallery, London

◀ **Ijo, Nigeria**
Water spirit headdress, wood and pigments
Helm des Wassergeistes, Holz und Pigmente
Kruik van de watergeest, hout en pigmenten
Cimera de espíritu de las aguas, madera y pigmentos
190 cm / 74.8 in.
Musée du quai Branly, Paris

Ogoni, Nigeria
Marionette with moveable jaw, wood and pigments
Marionette mit beweglichem Kiefer, Holz und Pigmente
Pop met beweegbare kaak, hout en pigmenten
Marioneta de mandíbula móvil, madera y pigmentos
h 61,5 cm / 24.2 in.
Collezione Fernando Mussi, Monza

◀ **Ogoni, Nigeria**
Mask with moveable jaw, wood, pigments
Maske mit beweglichem Kiefer, Holz, Pigmente
Masker met beweegbare kaak, hout, pigmenten
Máscara de mandíbula móvil, madera, pigmentos
h 22 cm / 8.6 in.
Private collection / Private Sammlung
Privécollectie / Colección privada

Chamba, Nigeria
Sculpture used by men's society, wood
Emblem männlicher Vereinigung, Holz
Embleem van mannelijke maatschappij, hout
Emblema de asociación masculina, madera
Dallas Museum of Art, Dallas

Mambila, Nigeria
Figure with curative properties, wood
Figur zu therapeutischer Verwendung, Holz
Figuur voor therapeutische werking, hout
Figura de uso terapéutico, madera
h 48 cm / 18.9 in.
Musée du quai Branly, Paris

▶ **Mambila, Nigeria**
Zoomorphic mask, wood and pigments
Zoomorphe Maske, Holz und Pigmente
Zoomorf masker, hout en pigmenten
Máscara zoomorfa, madera y pigmentos
40 cm / 15.7 in.
Private collection / Private Sammlung
Privécollectie / Colección privada

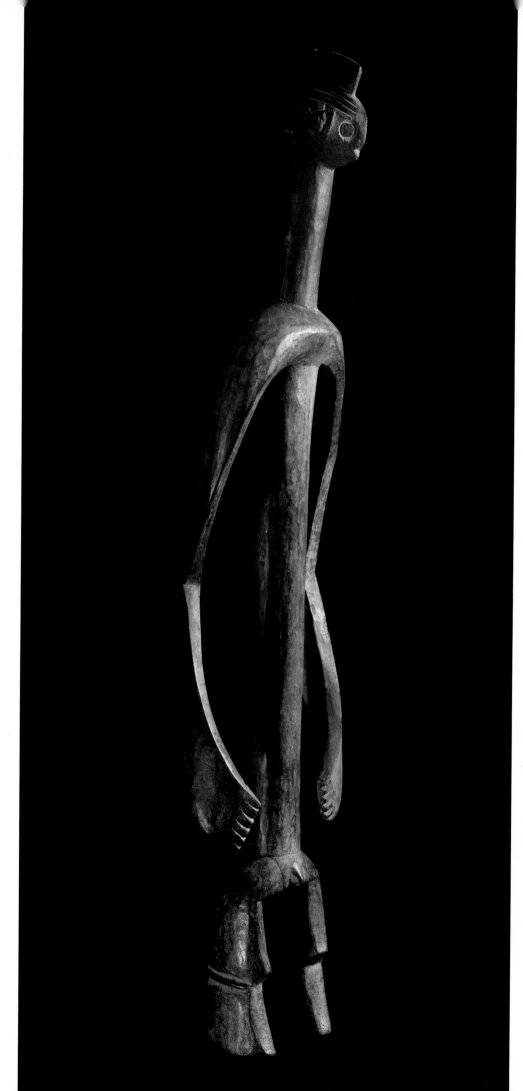

Mumuye, Nigeria
Male figure, wood
Männliche Figur, Holz
Mannenfiguur, hout
Figura masculina, madera
1800–1900
h 100 cm / 39.4 in.
Musée du quai Branly, Paris

▶ **Mumuye, Nigeria**
Female figure, wood
Weibliche Figur, Holz
Vrouwenfiguur, hout
Figura femenina, madera
1800–2000
h 93,3 cm / 36.7 in.
The Metropolitan Museum of Art, New York

▶ **Tiv, Nigeria**
Figure with scarifications, wood
Figur mit Skarifizierungen, Holz
Figuur met littekens, hout
Figura con escarificaciones, madera
h 65 cm / 25.6 in.
Private collection / Private Sammlung
Privécollectie / Colección privada

Ejagham, Nigeria
Headdress of Ngbe warrior society, wood,
antelope skin, hair, metal, bone, wicker
Helm des Kriegerstammes Ngbe, Holz,
Antilopenfell, Haare, Metall, Knochen, Weidenruten
Kruik van de krijger samenleving Ngbe, hout,
huid van antilope, haar, metaal, bot, wicker
Cimera de la sociedad guerrera Ngbe, madera,
piel de antílope, cabellos, metal, hueso, mimbre
1900–2000
Tishman Collection, New York

▶ **Ejagham, Nigeria**
Janiform headdress, wood, horn, paint, nails
Janusköpfige Kopfbedeckung,
Holz, Horn, Farbpigment und Nägel
Hoofddeksel: januskop, hout,
hoorn, pigment en nagels
Tocado con forma de cabeza humana,
madera, cuerno, pigmento y uña
1800–1950
h 53,3 cm / 21 in.
The Metropolitan Museum of Art, New York

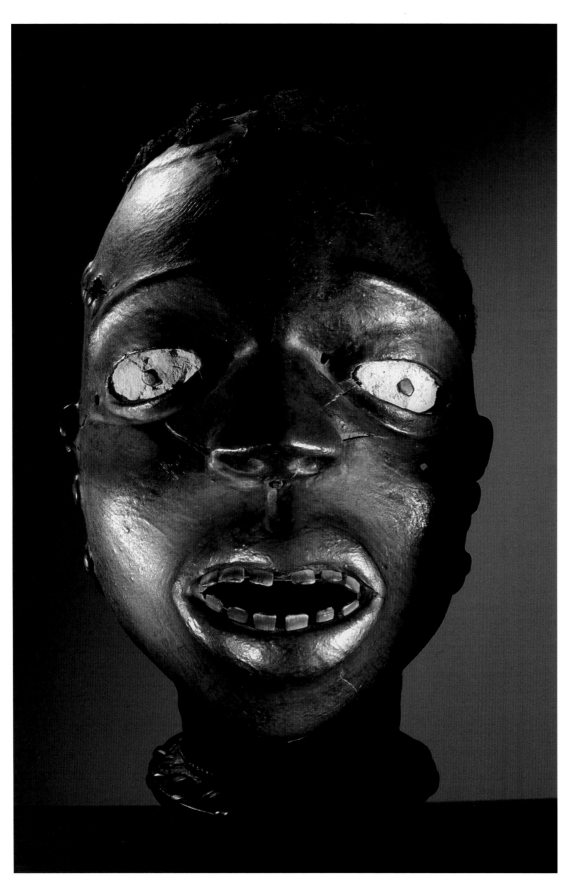

❚ The Ngbe is a secret society of warriors that also has commercial and political functions. Helmets covered with antelope skin could represent the heads of enemies killed in battle.
❚ Die Ngbe-Gesellschaft ist ein Geheimbund von Kriegern, die auch gewerbliche und politische Funktionen innehaben. Die mit Antilopenfell bedeckten Helme könnten eine Verarbeitung der Köpfe von Feinden sein, die in der Schlacht umgebracht wurden.
❚ De ngbe maatschappij is een geheim genootschap van strijders die ook commerciële en politieke rollen spelen. De bovenkant bedekt met antilopehuid zou een latere herbewerking kunnen zijn van de hoofden van de vijanden die gedood waren in de strijd.
❚ La sociedad ngbe es una asociación secreta de guerreros que cumple también funciones comerciales y políticas. Las cimeras recubiertas de piel de antílope podrían ser una reelaboración posterior de las cabezas de los enemigos asesinados en combate.

Ejagham, Nigeria
Headdress of Ngbe warrior society,
wood, antelope skin, metal, bone, wicker
Helm des Kriegerstammes Ngbe,
Holz, Antilopenfell, Metall, Knochen, Weidenruten
Kruik van de krijger samenleving Ngbe,
hout, huid van antilope, metaal, bot, wicker
Cimera de la sociedad guerrera Ngbe,
madera, piel de antílope, metal, hueso, mimbre
1900
h 72,5 cm / 28.5 in.
Musée du quai Branly, Paris

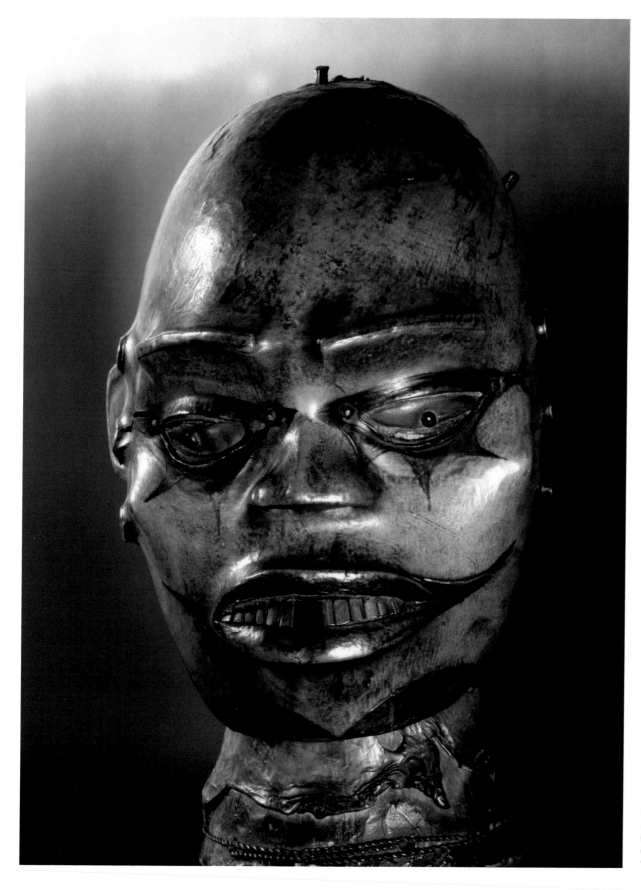

Ejagham, Nigeria
Headhunters' ritual head, wood
Ritueller Kopf für Kopfjäger, Holz
Ceremonieel hoofd van koppensnellers, hout
Cabeza ritual de los cazadores de cabezas, madera
Tishman Collection, New York

Ejagham, Nigeria
Male ejagham ekpe association dance mask
Tanzmaske des Männerbundes Ejagham Ekpe
Dansmasker van het mannengenootschap Ejagham Ekpe
Máscara de baile de la asociación masculina Ejagham Ekpe
Private collection / Privatsammlung
Privécollectie / Colección privada

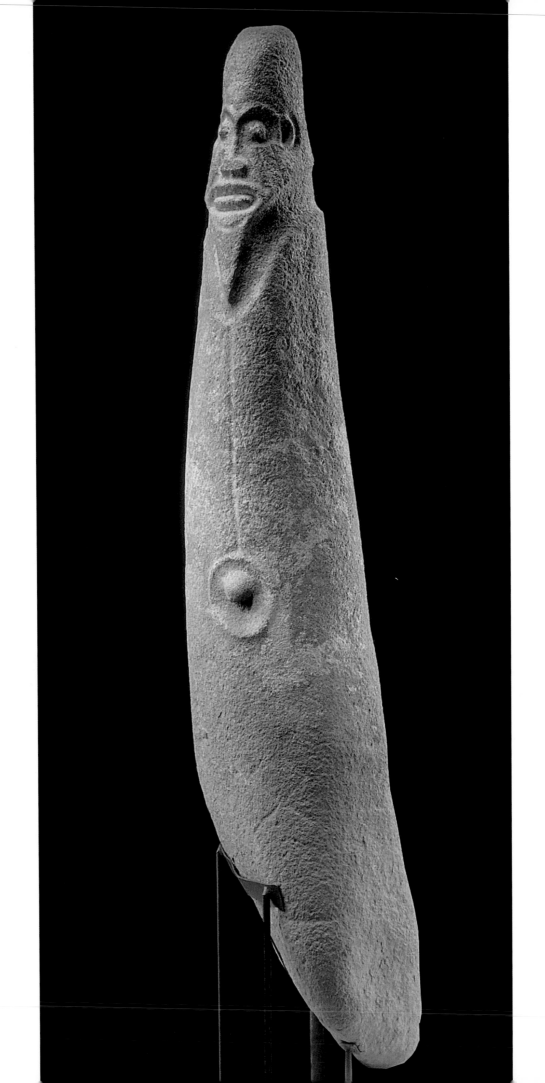

Ejagham, Nigeria
Monolith emblem of the Eblablu society, stone
Monolithisches Emblem
der Gesellschaft Eblablu, Stein
Monolithisch embleem
van de samenleving Eblablu, steen
Monolito emblema de la sociedad Eblabu, piedra
h 174 cm / 68.5 in.
Musée du quai Branly, Paris

Art from the Grasslands and Gabon

Art from western Cameroon – shown through architecture, statues and royal artefacts – came about thanks to its people's wishes to pay homage to the spiritual and temporal power of their monarch. Around this figure head, various populations who had lived throughout the region of Cameroon since the 15th century discovered a shared identity amongst themselves, even though they belonged to different kingdoms (Bamun, Bamileke, and Tikar) which were the result of the union of indigenous populations with other new arrivals. However the production of masks shows that people were also against this, masks which were used as a sign of their opposition to the king's power and to the existence of hidden groups.
Heading east towards Gabon however, the community here is governed by forms of power which aren't as strict and are less centralised. Their artistic expressions show their respect for and the worship of their ancestors.

Die Kunst der Grasländer und Gabuns

Die Kunst des westlichen Kamerun mit ihrer Architektur, den Statuen und den königlichen Gegenständen entstand zu Ehren der spirituellen und zeitlichen Macht des Herrschers. Um seine Figur herum entwickelte sich für die verschiedenen Völker, die ab dem 15. Jahrhundert auf dem Gebiet des heutigen Kamerun unterteilt in verschiedene Königreiche (Bamun, Bamileke, Tikar) siedelten, ein Motor für die Entstehung einer gemeinschaftlichen Identität, Ergebnis der Union von eingeborenen Bevölkerungsgruppen und Zuwanderern. In direktem Gegensatz dazu steht die Herstellung von Masken, ein Zeichen der Auflehnung gegen die Macht des Herrschers und Hinweis auf die Existenz von Geheimbünden. Die Menschen im östlichen Gebiet hingegen, also im heutigen Gabun, werden von weniger absoluten und zentralisierten Machtformen beherrscht. Ihr Kunstschaffen verleiht dem Respekt und der Verehrung der Ahnen Ausdruck.

De kunst van de savannes en Gabon

De kunst uit West-Kameroen – architectuur, beeldhouwkunst en koninklijke snuisterijen – is ontstaan uit het verlangen de spirituele en wereldlijke macht van de monarch te vereren. Deze figuur vormde de inspiratie voor de impuls tot de identiteitseenheid van de verschillende volkeren die Kameroen tot de vijftiende eeuw bevolkten, onderdanen van verschillende rijken (Bamun, Bamileke, Tikar), het resultaat van de vereniging van inheemse bewoners met nieuw gearriveerde volken. Een tegenwicht hiertegen vormde de productie van maskers, teken van het verzet tegen de macht van de koning en van het bestaan van clandestiene groeperingen.
Echter, aan de oostzijde, in Gabon, zijn er minder absolute en centrale machtsvormen actief en vertolken de kunstuitingen het respect en de verering van de voorouders.

El arte de Grassland y de Gabón

El arte de Camerún occidental, arquitectónico, estatuario y de objetos reales, nace de la voluntad de homenajar el poder, espiritual y temporal, del monarca. Entorno a su figura, encontraban la fuerza para lograr la unidad identitaria los diversos pueblos que habitaron las zonas camerunenses desde el siglo XV, súbditos de los diversos reinos (Bamun, Bamilake, Tikar) resultado de la unión de pueblos indígenas con otros nuevos que llegaban. Como antagonista actuaba la producción de máscaras, señal de la oposición al poder del rey y de la existencia de grupos ocultos.
En el flanco oriental, en Gabón, la comunidad se rige por formas de poder menos absolutas y centrales, y las expresiones artísticas dan voz al respeto y al culto a los antepasados.

Kwayep, Cameroon / Kamerun
Kameroen / Camerún
Figure commemorating the birth of the first son
of King N'Jike, wood and pigments
Figur zum Gedenken der Geburt des ersten Sohnes
des Königs N'Jike, Holz und Pigmente
Figuur die herinnert aan de geboorte van de eerste
zoon van koning N'Jike, hout en pigmenten
Figura que conmemora el nacimiento del primer hijo
del rey N'Jike, madera y pigmentos
ante 1912
h 61 cm / 24 in.
Musée du quai Branly, Paris

◄ Bamileke, Cameroon / Kamerun
Kameroen / Camerún
Maternity figure, wood
Mutterschaft, Holz
Moederschap, hout
Maternidad, madera
h 78 cm / 30.7 in.
Musée du quai Branly, Paris

Bamileke,
Cameroon / Kamerun
Kameroen / Camerún
Cup-holder statue of queen,
wood, glass beads
Königinnenstatue, Becherträger,
Holz, Glasperlen
Standbeeld van koningin die een
beker draagt, hout, glazen kralen
Estatua de reina porta copa,
madera, cuentas de vidrio
115 x 46 x 45 cm
45.2 x 18.1 x 17.7 in.
Musée du quai Branly, Paris

Bamileke, House of village chief with engraved door frames
Cameroon / Kamerun Haus des Dorfvorstehers mit geschnitzten Türpfosten
Kameroen / Camerún Woning van het dorpshoofd met gekerfde deurposten
Vivienda del jefe del poblado con jambas esculpidas

Bamun,
Cameroon / Kamerun
Kameroen / Camerún

Tam Tam House with engraved door frames
Haus des Tam Tam mit geschnitzten Türpfosten
Het huis van de Tam Tam met gekerfde deurposten
La casa del Tam Tam con jambas esculpidas

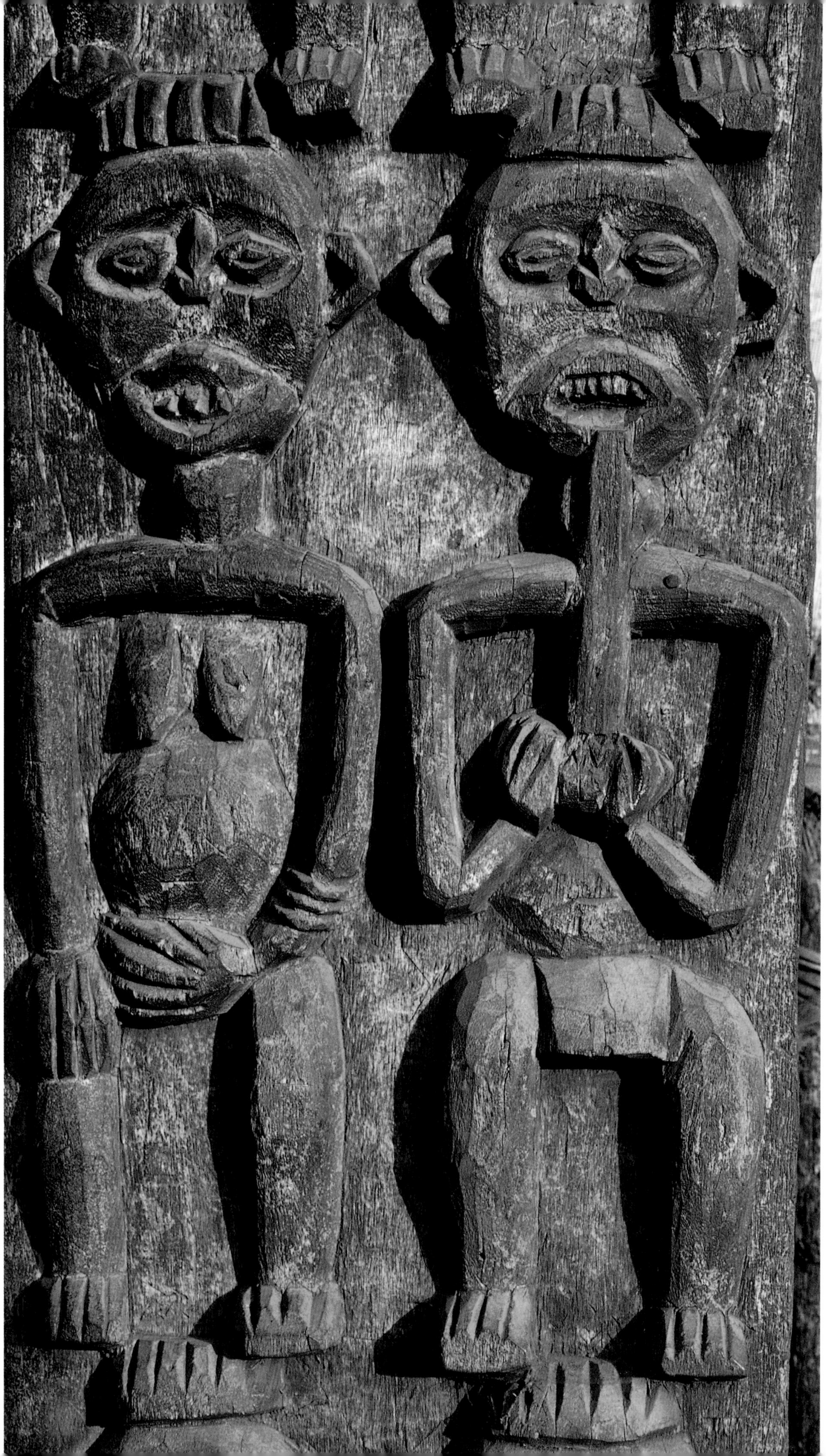

Bamileke, Cameroon / Kamerun / Kameroen / Camerún
Details of chief's door frames
Detail eines Pfostens an der Tür des Dorfvorstehers
Details van deurpost van het huis van de leider
Detalles de las jambas de las puertas del jefe

Frank Christol
Bamileke chief, Cameroon
Bamileke-Anführer, Kamerun
Bamileke-leider, Kameroen
Jefe bamileke, Camerún
Musée du quai Branly, Paris

▶ Bamileke, Cameroon / Kamerun
Kameroen / Camerún
Carved posts, wood
Türpfosten, Holz
Gesneden staanders, hout
Estípites esculpidos, madera
1800–1900
h 200 cm / 78.8 in.
Museum für Völkerkunde, Berlin

Bamun,
Cameroon / Kamerun / Kameroen / Camerún
Anthropomorphic post for house, wood
Anthropomorpher Pfosten an einem Haus, Holz
Antropomorfe huispaal, hout
Palo antropomorfo de casa, madera
h 228 cm / 89.8 in.
Musée du quai Branly, Paris

◀ **Bamun,**
Cameroon / Kamerun / Kameroen / Camerún
Anthropomorphic post for house, wood
Anthropomorpher Pfosten an einem Haus, Holz
Antropomorfe huispaal, hout
Palo antropomorfo de casa, madera
h 253 cm / 99.7 in.
Musée du quai Branly, Paris

Bamileke, Cameroon / Kamerun
Kameroen / Camerún
Throne, wood and pigments
Thron, Holz und Pigmente
Troon, hout en pigmenten
Trono, madera y pigmentos
1880–1920
h 123,2 cm / 48.5 in.
Yale University Art Gallery, New Haven

▶ Tikar,
Cameroon / Kamerun
Kameroen / Camerún
Engraved throne used as valued
object, wood and paint
Geschnitzter, als Prestigeobjekt verwendeter
Thron, Holz und Farbpigmente
Uitgekerfde zetel gebruikt als
prestigeobject, hout en pigmenten
Trono tallado utilizado como símbolo
de prestigio, madera y pigmentos
h 21 cm / 8.3 in.
Yale University Art Gallery, New Haven

Bamileke,
Cameroon / Kamerun
Kameroen / Camerún

Throne, wood, glass beads and cowrie shells
Thron, Holz, Glasperlen und Kaurimuscheln
Troon, hout, glazen kralen en ciprea schelpen
Trono, madera, cuentas de vidrio y cauríes

1800–1900
h 175 cm / 68.9 in.
Ethnologisches
Museum, Berlin

**Bamileke, Cameroon / Kamerun
Kameroen / Camerún**
Mask of chief of Manjong society,
wood and paints
Häuptlingsmaske der Gesellschaft Manjong,
Holz und Pigmente
Hoofdmasker van de Manjong samenleving,
hout en pigmenten
Máscara de jefe de la sociedad Manjong,
madera y pigmentos
1850–1900
h 31,5 cm / 12.4 in.
Musée du quai Branly, Paris

◄ **Bamileke, Cameroon / Kamerun
Kameroen / Camerún**
Nzop mask, wood and straw
Nzop-Maske, Holz, Stroh
Masker *nzop*, hout, stro
Máscara *nzop*, madera, paja
h 34 cm / 13.3 in.
Musée du quai Branly, Paris

Tikar,
Cameroon / Kamerun
Kameroen / Camerún
Chief's mask, wood
Maske eines Anführers, Holz
Masker van stamhoofd, hout
Máscara de jefe, madera
h 38,4 cm / 15.1 in.
Musée du quai Branly, Paris

▶ **Bamileke, Cameroon / Kamerun**
Kameroen / Camerún
Tsesah mask (*Batcham*), wood
Tsesah-Maske (*batcham*), Holz
Masker tsesah (*batcham*), hout
Máscara tsesah (*batcham*), madera
h 89,5 cm / 35.2 in.
Musée du quai Branly, Paris

Bamun,
Cameroon / Kamerun / Kameroen / Camerún
Male figure supporting a cup, wood
Männliche Figur, die einen Becher trägt, Holz
Mannenfiguur die een kom ondersteunt, hout
Figura masculina que sostiene una copa, madera
Ernst Anspach Collection, New York

◀ **Bamun,**
Cameroon / Kamerun / Kameroen / Camerún
Crest mask of Nsoro society, wood, vegetable fibres and kaolin
Helmmaske des Nsoro-Bundes, Holz, Pflanzenfasern, Kaolin
Helmmasker van de Nsoro-gemeenschap, hout,
plantaardige vezels, kaolien
Máscara de la sociedad Nsoro, madera, fibras vegetales, caolín
h 70 cm / 27.6 in.
Musée du quai Branly, Paris

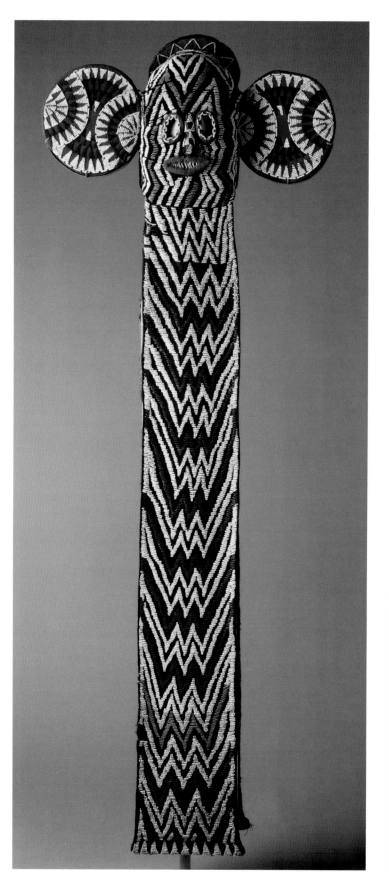

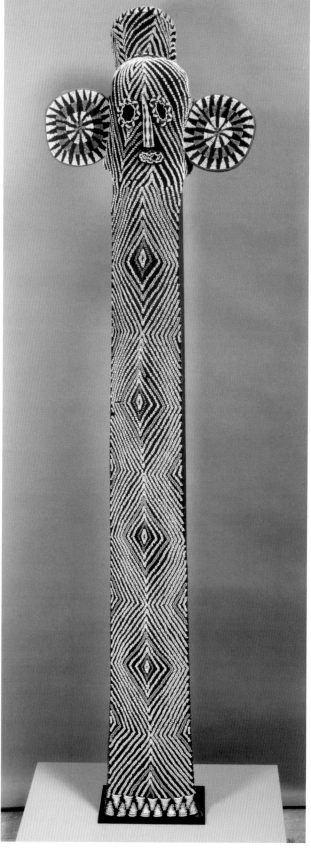

**Bamileke, Cameroon / Kamerun
Kameroen / Camerún**
Palm wine calabash, glass beads,
gourd, cowrie shells
Flasche für Palmenwein, Kürbis, Glasperlen,
Kaurimuscheln
Pompoen voor palmwijn, pompoen,
glazen kralen, kauri schelpen
Calabaza para el vino de palma, calabaza,
cuentas de vidrio, cauríes
The Newark Museum of Art, Newark

◄ **Bamileke, Cameroon / Kamerun
Kameroen / Camerún**
Elephant mask (*Tso*), cotton,
vegetable fibers and glass beads
Elefantenmaske (*tso*), Baumwolle,
Pflanzenfasern, Glasperlen
Olifantenmasker (*tso*), hout,
plantaardige vezels, glazen kralen
Máscara elefante (*tso*), algodón,
fibras vegetales, cuentas de vidrio
1800–2000
h 154,9 cm / 61 in.
The Metropolitan Museum of Art, New York

◄ **Bamileke, Cameroon / Kamerun
Kameroen / Camerún**
Elephant mask (*Tso*), cotton,
and glass beads
Elefantenmaske (*tso*), Baumwolle,
Glasperlen
Olifantenmasker (*tso*), hout,
glazen kralen
Máscara elefante (*tso*), algodón,
cuentas de vidrio
h 167 cm / 66 in.
The Newark Museum of Art, Newark

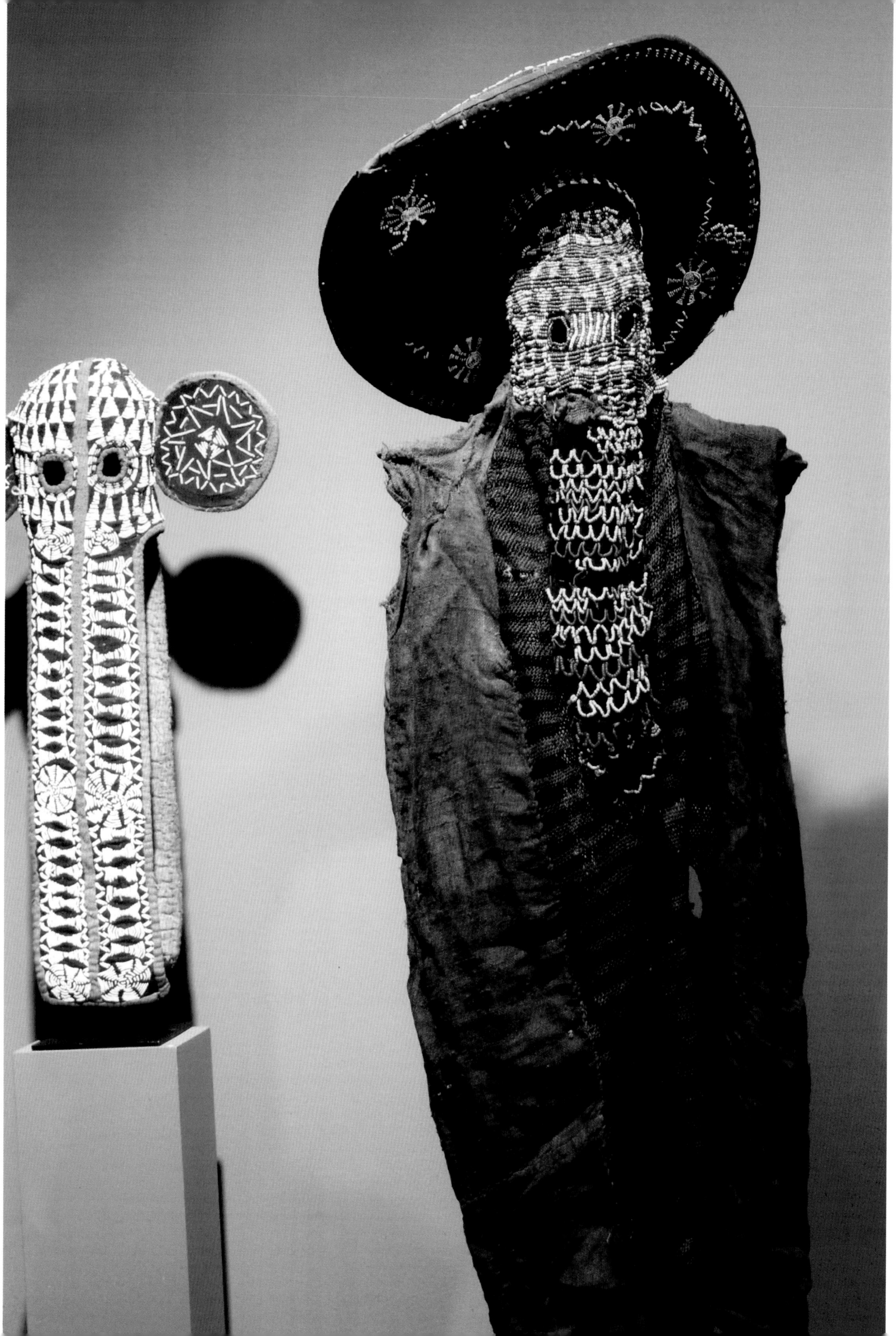

◀ **Bamileke,**
Cameroon / Kamerun
Kameroen / Camerún

Costume masks representing an animal
Kostümmasken in Tierform
Maskerkostuums die dieren voorstellen
Máscaras que representan un animal

Pace Gallery,
New York

Bamileke,
Cameroon / Kamerun
Kameroen / Camerún

Costume mask representing a leopard
Kostümmaske in Leopardenform
Een maskerkostuum dat een luipaard voorstelt
Máscara que representa un leopardo

Pace Gallery,
New York

Bamileke,   Representation of a skull, wood, glass beads and cowry   h 15,6 cm / 6.2 in.
Cameroon / Kamerun   Nachbildung eines Schädels, Holz, Glasperlen und Kaurimuscheln   Musée du quai Branly,
Kameroen / Camerún   Afbeelding van een schedel, hout, glaskralen en kauri-schelpen   Paris
Representación de cráneo, madera, perlitas de vidrio y cauri

Bamun, Cameroon / Kamerun / Kameroen / Camerún
Male figure (use unknown). The beads and cowries
indicate an association with royalty
Männliche Figur, Funktion ungeklärt. Perlen
und Kaurimuscheln deuten auf eine Verbindung mit dem
Königsrang hin
Mannenfiguur met onduidelijk gebruik.
De kralen en kauri's duiden op een associatie met koninklijke kringen
Figura masculina de uso desconocido.
Las perlitas y las conchas indican su asociación con el rango real
Ernst Anspach Collection, New York

▶ **Bamun, Cameroon / Kamerun / Kameroen / Camerún**
Mask, wood, copper, glass beads, shells
Maske, Holz, Kupfer, Glasperlen, Muscheln
Masker, hout, koper, glazen kralen, schelpen
Máscara, madera, cobre, cuentas de vidrio, conchas
ante 1880
h 66 cm / 26 in.
The Metropolitan Museum of Art, New York

**Bamun,
Cameroon / Kamerun
Kameroen / Camerún**
Mask worn by king (*mfon*),
wood and beads
Maske des Herrschers *Mfon*,
Holz und Perlen
Masker gedragen door
de vorst *mfon*, hout en kralen
Máscara del soberano *mfon*,
madera y perlitas
h 92 cm / 36.3 in.
Musée du quai Branly, Paris

Kota, Gabon / Gabun / Gabón
Reliquary, wood, copper, brass, iron, vegetable fibers
Heiligenschrein, Holz, Kupfer, Messing, Eisen,
Pflanzenfasern
Reliekhouder, hout, koper, messing, ijzer,
plantaardige vezels
Relicario, madera, cobre, latón, hierro, fibras vegetales
ante 1897
h 60 cm / 23.6 in.
Musée du quai Branly, Paris

◄ **Kota, Gabon / Gabun / Gabón**
Reliquary guardian figure, wood, brass and copper
Wächter des Reliquienschreins, Holz, Messing, Kupfer
Beschermingsfiguur van reliekhouder, hout,
messing, koper
Figura de guardián de relicario, madera, latón, cobre
h 60 cm / 23.6 in.
Musée du quai Branly, Paris

▌ *The upper part of the figure framing the face represents the coiffure, while the lower, rhomboid part is a stylised depiction of the body, with shoulders and arms ending in what are either joined hands or legs, but whose practical function is to anchor the sculpture to the reliquary.*
▌ *Der obere Teil der Figur, der das Gesicht umrahmt, stellt die Frisur dar. Im unteren rautenförmigen Teil ist ein stilisiertes Bild des Körpers zu sehen: Schultern und Arme, die mit den gefalteten Händen oder Beinen enden. In ihrer praktischen Funktion soll sie die Skulptur am Behälter des Heiligenschreins befestigen.*
▌ *Het bovenste gedeelte van de figuur dat het gelaat omlijst is het kapsel; in het onderste diamantvormige gedeelte zien we een gestileerde afbeelding van het lichaam: schouders en armen die eindigen met gevouwen handen of op de benen. De praktische functie is om het beeld te verankeren aan de houder van de reliekschrijn.*
▌ *La parte superior de la figura que enmarca el rostro representa el peinado; en la parte inferior romboidal se ha visto una representación estilizada del cuerpo: hombros y brazos que terminan con las manos unidas o también, las piernas. Su función práctica es la de anclar la escultura al contenedor del relicario.*

Kota, Gabon / Gabun / Gabón
Reliquary guardian figure, wood, copper, brass
Figur eines Reliquienwächters, Holz, Kupfer, Messing
Bewakende figuur van de reliekhouder, hout, koper, messing
Figura de guardián de relicario, madera, cobre, latón
h 81 cm / 31.9 in.
Nationalgalerie, Museum Berggruen, Berlin

▶ **Kota, Gabon / Gabun / Gabón**
Reliquary guardian figure
Figur eines Ahnenreliquiars
Figuur van een reliquarium
voor de voorouders
Guardián de relicario
1800-1999
Friede Collection, New York

▶ **Kota, Gabon / Gabun / Gabón**
Detail of reliquary guardian figure, wood
Detail des Wächters des Reliquienschreins, Holz
Detail van beschermingsfiguur van reliekhouder, hout
Detalle de guardián de relicario, madera
h 68,7 cm / 27.1 in.
Musée du quai Branly, Paris

Kota, Gabon / Gabun / Gabón
Reliquary guardian figure, wood,
copper, brass
Figur eines Reliquienwächters, Holz,
Kupfer, Messing
Bewakende figuur van de reliekhouder,
hout, koper, messing
Figura de guardián de relicario, madera,
cobre, latón
h 63,8 cm / 25.2 in.
Musée du quai Branly, Paris

▶ **Kota, Gabon / Gabun / Gabón**
Reliquary guardian figure, wood, brass
and copper
Wächter des Reliquienschreins,
Holz, Messing und Kupfer
Beschermingsfiguur van reliekhouder,
hout, messing en koper
Guardián de relicario, madera,
latón y cobre
h 53,34 cm / 21 in.
The Newark Museum, Newark

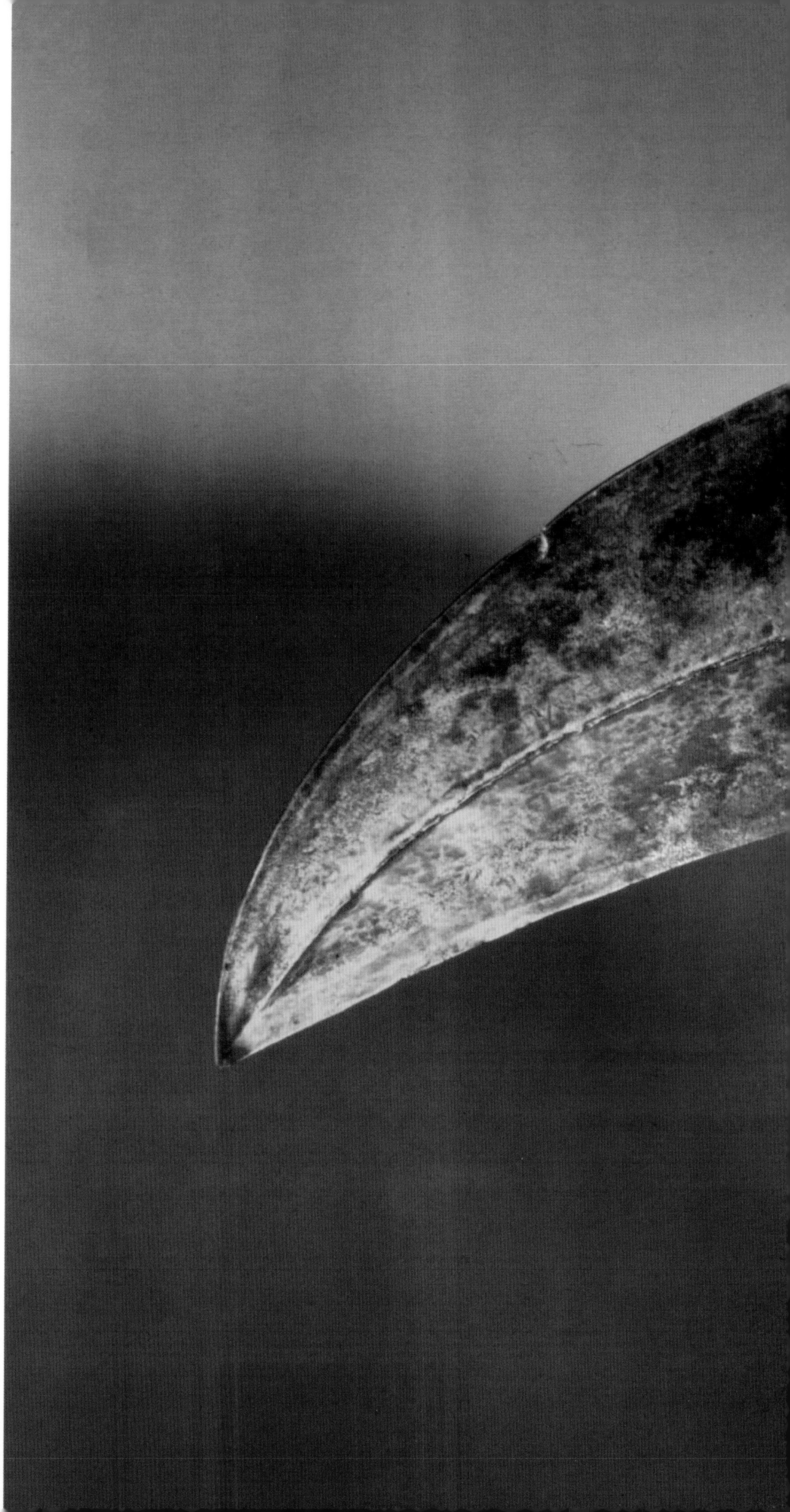

Kota, Gabon / Gabun / Gabón
Throwing knife with blade shaped like bird's head
Wurfmesser mit vogelkopfförmiger Klinge
Werpmes met een blad in de vorm van een vogelkop
Punta de lanza con cuchilla con forma de cabeza de pájaro
Museum of Art, Dallas

Fang, Gabon / Gabun / Gabón
Reliquary guardian figure *(Byeri)*
Wächter des Reliquienschreins *(byeri)*
Beschermingsfiguur van reliekhouder *(byeri)*
Guardián de relicario *(byeri)*
Entwistle Gallery, London

◀ **Fang, Gabon / Gabun / Gabón**
Reliquary guardian figure, wood
Figur eines Reliquienwächters, Holz
Bewakende figuur van de reliekhouder, hout
Figura de guardián de relicario, madera
h 39 cm / 15.3 in.
Musée du quai Branly, Paris

◀ **Fang, Gabon / Gabun / Gabón**
Reliquary guardian figure *(Byeri)*, wood
Figur eines Reliquienwächters *(byeri)*, Holz
Bewakende figuur van de reliekhouder *(byeri)*, hout
Figura de guardián de relicario *(byeri)*, madera
h 60 cm / 23.6 in.
Musée du quai Branly, Paris

Fang, Gabon / Gabun / Gabón
Reliquary guardian head, wood and brass
Kopf des Wächters des Reliquienschreins,
Holz und Messing
Hoofd van beschermingsfiguur
van reliekhouder, hout en messing
Cabeza de guardián de relicario, madera y latón
h 41,5 cm / 16.4 in.
Musée du quai Branly, Paris

◀ **Fang, Gabon / Gabun / Gabón**
Nlo byeri reliquary guardian head, wood and metal
Kopf des Wächters des Reliquienschreins
(*nlo byeri*), Holz und Metall
Hoofd van beschermingsfiguur
van reliekhouder (*nlo byeri*), hout en metaal
Cabeza de guardián de relicario
(*nlo byeri*), madera y metal
h 46,5 cm / 18.3 in.
The Metropolitan Museum of Art, New York

Fang, Gabon / Gabun / Gabón
Mask with two faces, wood, pigments,
vegetable fibers, feathers
Maske mit zwei Gesichtern, Holz, Pigmente,
Pflanzenfasern, Federn
Masker met twee kanten, hout, plantaardige vezels,
pigmenten, veren
Máscara de dos caras, madera, pigmentos,
fibras vegetales, plumas
h 67 cm / 26.3 in.
Musée du quai Branly, Paris

◀ **Fang, Gabon / Gabun / Gabón**
Four-faced mask, wood, paint, glass,
vegetable fibres and feathers
Viergesichtige Maske, Holz, Farbpigmente,
Glas, Pflanzenfasern und Federn
Masker met vier gezichten, hout, pigmenten,
glas, plantaardige vezels en veren
Máscara con cuatro caras, madera, pigmentos,
vidrio, fibras vegetales y plumas
h 70 cm / 27.6 in.
Musée du quai Branly, Paris

Fang, Gabon / Gabun / Gabón
Anthropomorphic mask for initiation ritual,
wood, feathers and kaolin
Anthropomorphe Maske eines Initiationsbundes,
Holz, Federn und Kaolin
Antropomorf masker van een initiatiegenootschap,
hout, veren en kaolien
Máscara antropomorfa de una sociedad iniciática,
madera, plumas y caolín
h 57 cm / 22.5 in.
Musée du quai Branly, Paris

◀ Fang,
Gabon / Gabun / Gabón

Anthropomorphic mask, wood, vegetable fibres and cloth
Anthropomorphe Maske, Holz, Pflanzenfasern und Stoff
Antropomorf masker, hout, plantaardige vezels en weefsel
Máscara antropomorfa, madera, fibras vegetales y tejido

h 54 cm / 21.2 in.
Musée du quai Branly,
Paris

Fang,
Gabon / Gabun / Gabón

Mask, wood
Maske, Holz
Masker, hout
Máscara, madera

h 34 cm / 13.3 in.
Musée du quai Branly,
Paris

Fang, Gabon / Gabun / Gabón
Janus-faced helmet mask, wood and pigments
Maskenhelm in Form des Ianus, Holz und Pigmente
Helmmasker janiform, hout en pigmenten
Máscara yelmo de dos caras, madera y pigmentos
1800–2000
h 29,8 cm / 11.7 in.
The Metropolitan Museum of Art, New York

▶ **Adouma, Gabon / Gabun / Gabón**
Mask, wood and paints
Maske, Holz und Pigmente
Masker, hout en pigmenten
Máscara, madera y pigmentos
1880–1900
h 55 cm / 21.6 in.
Musée du quai Branly, Paris

▶ **Fang, Gabon / Gabun / Gabón**
Mask, wood and kaolin
Maske, Holz und Kaolin
Masker, hout en kaolien
Máscara, madera y caolín
1800–1900
h 66 cm / 26 in.
Musée du quai Branly, Paris

Fang, Gabon / Gabun / Gabón
Ngil-mask, wood
Ngil-Maske, Holz
Ngil-masker, hout
Ngil-Maske, madera
h 78 cm / 30.7 in.
Ethnologisches Museum, Berlin

▶ **Adouma, Gabon / Gabun / Gabón**
Anthropomorphic dance mask, wood
Anthropomorphe Tanzmaske, Holz
Antropomorf dansmasker, hout
Máscara de baile antropomorfa, madera
h 28 cm / 11.1 in.
Musée du quai Branly, Paris

Punu, Gabon / Gabun / Gabón
Mask, wood, paint, kaolin
Maske, Holz, Farbpigmente, Kaolin
Masker, hout, pigmenten, kaolien
Máscara, madera, pigmentos, caolín
h 34,3 cm / 13.5 in.
The Metropolitan Museum of Art, New York

▶ **Punu, Gabon / Gabun / Gabón**
Mask, wood and pigments
Maske, Holz und Pigmente
Masker, hout en pigmenten
Máscara, madera y pigmentos
h 37 cm / 14.5 in.
Musée du quai Branly, Paris

Punu, Gabon / Gabun / Gabón   *Okuyi* female mask, wood   h 32 cm / 12.6 in.
                                     Weibliche Maske *okuyi*, Holz   Musée du quai Branly, Paris
                                     Okuyi-vrouwenmasker, hout
                                     Máscara femenina *okuyi*, madera

Punu, Gabon / Gabun / Gabón   *Ikwara* mask, wood   h 46 cm / 18.1 in.
Ikwara-Maske, Holz   Musée du quai Branly, Paris
Ikwara-masker, hout
Máscara *ikwara*, madera

▶ Punu and Ashira,   Mask worn by stilt dancers   Entwistle Gallery,
Gabon / Punu und   at funeral ceremonies, wood   London
Ashira, Gabun / Punu   Maske der Stelzentänzer
en Ashira, Gabon /   bei Begräbniszeremonien, Holz
Punu y Ashira, Gabón   Masker gedragen door steltdansers bij
begrafenisceremonies, hout
Máscara usada por los bailarines
con zancos en las ceremonias fúnebres,
madera

Kwele, Gabon / Gabun / Gabón
Zoomorphic mask, wood, paint, kaolin
Zoomorphe Maske, Holz, Farbpigmente, Kaolin
Zoömorf masker, hout, pigmenten, kaolien
Máscara zoomorfa, madera, pigmentos, caolín
h 76,2 cm / 30 in.
The Metropolitan Museum of Art, New York

◄ **Kwele, Gabon / Gabun / Gabón**
Zoomorphic mask, wood and pigments
Zoomorphe Maske, Holz und Pigmente
Zoomorf masker, hout en pigmenten
Máscara zoomorfa, madera y pigmentos
ante 1937
h 44 cm / 17.3 in.
Musée du quai Branly, Paris

Kwele, Gabon / Gabun / Gabón
Mask with six eyes, wood and pigments
Maske mit sechs Augen, Holz und Pigmente
Masker met zes ogen, hout en pigmenten
Máscara con seis ojos, madera y pigmentos
1800–1900
h 58 cm / 22.8 in.
Musée du quai Branly, Paris

▶ **Kwele, Gabon / Gabun / Gabón**
Mask, wood and pigments
Maske, Holz und Pigmente
Masker, hout en pigmenten
Máscara, madera y pigmentos
1800–2000
h 52,7 cm / 20.7 in.
The Metropolitan Museum of Art, New York

Art from the region of Congo

Bantu speaking populations occupy the whole of the Congo region near to the Equator. In the west is the kingdom of Congo, whose success peaked at the start of the 17th century. A lot is known about this kingdom thanks to their "fetishes" with pins, masks and raffia fabrics which have been discovered. The kingdom of Chokwe, which flourished between Congo and Angola, dedicated most of its art to their founding hero Chibinda Ulunga. To the east on the other hand is the kingdom of Luba, who was at the height of its success throughout the 17th century. They honoured the maternal line of descent within their society, which is a featured subject in their artwork. The sovereign and the nobility on the other hand are a main theme in Kuban art, the expression of a population which lives in the region of Kasai and which since the beginning of the 17th century, has been run by the Bushongo dynasty.

Die Kunst im Gebiet des Kongo

Die Bantu-Völker bewohnten das gesamte Kongogebiet um den Äquator. Das Reich Kongo im Westen, das seine Blütezeit zu Beginn des 17. Jahrhundert erlebte, ist uns durch die Funde von nagelverzierten Fetischen, Masken und Bastgeflechten recht gut bekannt. Das zwischen dem Kongo und Angola prosperierende Reich der Chokwe widmete den Großteil seines künstlerischen Schaffens dem Gründerhelden Chibinda Ulunga. Im Osten hingegen wurde im Reich der Luba, das seine Blütezeit während des 17. Jahrhunderts erlebte, die mütterliche Abstammung des Volkes hoch geschätzt und zum Thema des künstlerischen Schaffens gemacht. Der Herrscher und die Adligen hingegen sind Thema der Kunst der am Fluss Kasai ansässigen Kuba, die ab Beginn des 17. Jahrhunderts von der Bushongo-Dynastie beherrscht wurden.

De kunst van het Congolese gebied

De Bantu-sprekende stammen bevolken het hele Congolese gebied rond de evenaar. In het westen het rijk Kongo, dat aan het begin van de zeventiende eeuw zijn hoogtepunt kende en bekendstaat om de fetisjen met spijkers, de maskers en raffia-weefsels die zijn teruggevonden. Het rijk van de Chokwe, dat tussen Kongo en Angola bloeide, wijdde het grootste deel van zijn kunst aan zijn stichter en held Chibinda Ulunga.
In het oosten bevindt zich het rijk van de Luba, dat in de loop van de zeventiende eeuw op zijn hoogtepunt was en de matrilineaire afstamming van zijn maatschappij eerde middels kunstuitingen.
De heerser en de adel vormen daarentegen thema's voor de Kuba-kunst, van een volk in de Kasai dat sinds het begin van de zeventiende eeuw door de Bushongo-dynastie wordt bestuurd.

El arte del área congoleña

Los pueblos de lengua bantú ocupan toda la gran zona congoleña alrededor del ecuador. En el oeste, el reino del Congo, cuyo fin fue al inicio del siglo XVII, ha sido muy conocido gracias a los fetiches de clavos, a las máscaras y a los tejidos de rafia que se han encontrado.
El reino de los Chokew, que prosperó entre el Congo y Angola, dedicaba la mayor parte de sus obras de arte al héroe fudador Chibinda Ulunga.
En el este, sin embargo, el reino de Luba, en su máximo explendor en el siglo XVII, honraba la descendecia por línea materna de la propia sociedad, convirtiéndola en sujeto de las expresiones artísticas.
El soberano y la nobleza son, sin embargo, los protagonistas del arte Kiba, expresión de un pueblo residente en Kasai y guiado, a comienzos del siglo XVII, por la dinastía Bushongo.

Kongo, Democratic Republic of the Congo
Demokratische Republik Kongo
Democratische Republiek Kongo
República Democrática del Congo
Maternity figure and details, wood
Mutterschaft und details, Holz
Moederschap en details, hout
Maternidad y detalles, Madera
1800–2000
Entwistle Gallery, London

◀ Kongo, Democratic Republic of the Congo
Demokratische Republik Kongo
Democratische Republiek Kongo
República Democrática del Congo
Seated male figure, wood, glass, metal, kaolin
Sitzende männliche Figur, Holz, Glas, Metall, Kaolin
Mannelijke zittende figuur, hout, glas, metaal, kaolien
Figura masculina sentada, madera, vidrio, metal, caolín
1800–2000
h 29,3 cm / 11.5 in.
The Metropolitan Museum of Art, New York

❚ *These figures, which probably date back to the 16th century, were placed on the tombs of men who distinguished themselves in their lifetime, in order to pass down their memory. Those figures resting their head, slightly inclined, on an arm have been interpreted as representating a chief meditating on how best to serve his people; others, however, see interpreted this posture as expressing sadness and mourning.*

❚ *Diese Figuren, deren Ursprung wahrscheinlich auf das 16. Jahrhundert zurückgeht, werden auf die Grabmale der Verstorbenen gestellt, die sich in ihrem Leben ausgezeichnet haben, um die Erinnerung an sie zu überliefern. Die Figuren, die mit einem Arm den Kopf stützen, leicht geneigt, wurden als Darstellungen des Anführers gedeutet, der darüber nachdenkt, was er für das Wohlergehen des eigenen Volkes unternehmen kann. Andere sehen darin jedoch die Traurigkeit in einem Trauerfall.*

❚ *Deze figuren, waarvan de oorsprong vermoedelijk dateert uit de zestiende eeuw, worden geplaatst op de graven van de overledenen, die zich hebben onderscheiden in hun leven om zo herinnerd te blijven worden. De figuren die het hoofd ondersteunen, licht gebogen, met een arm, werden geïnterpreteerd als voorstellingen van het hoofd dat nadenkt over wat te doen voor het welzijn van het eigen volk; maar anderen zien hierin het verdriet van een verlies.*

❚ *Estas figuras, cuyo origen se remonta probablemente al siglo XVI, se colocan sobre las tumbas de los difuntos que se distinguieron en su vida con el fin de perpetrar su recuerdo. Las figuras que sostienen la cabeza, levemente reclinada, con un brazo, han sido interpretadas como representaciones del jefe que medita sobre qué cosa hacer para el bienestar de su propio pueblo; pero otros lo han entendido como la tristeza por un luto.*

Kongo, Democratic Republic of the Congo
Demokratische Republik Kongo
Democratische Republiek Kongo
República Democrática del Congo
Tomb figure (*Ntadi*), steatite
Grabstele (*ntadi*), Steatit
Begrafenisfiguur (*ntadi*), speksteen
Estela funeraria (*ntadi*), esteatita
1700–1900
Musée Royale de l'Afrique Centrale, Tervuren

▶ Kongo, Democratic Republic of the Congo
Demokratische Republik Kongo
Democratische Republiek Kongo
República Democrática del Congo
Tomb figure (*Ntadi*), steatite
Grabstele (*ntadi*), Steatit
Begrafenisfiguur (*ntadi*), speksteen
Estela funeraria (*ntadi*), esteatita
1800–2000
h 41,3 cm / 16.2 in.
The Metropolitan Museum of Art, New York

Maître de Boma Vonde,
Democratic Republic of the Congo
Demokratische Republik Kongo
Democratische Republiek Kongo
República Democrática del Congo
Ceremonial staff, wood
Grabzeichen, Holz
Ceremonieel teken, hout
Enseña ceremonial, madera
1800–1900
h 69,5 cm / 27.3 in.
Musée du quai Branly, Paris

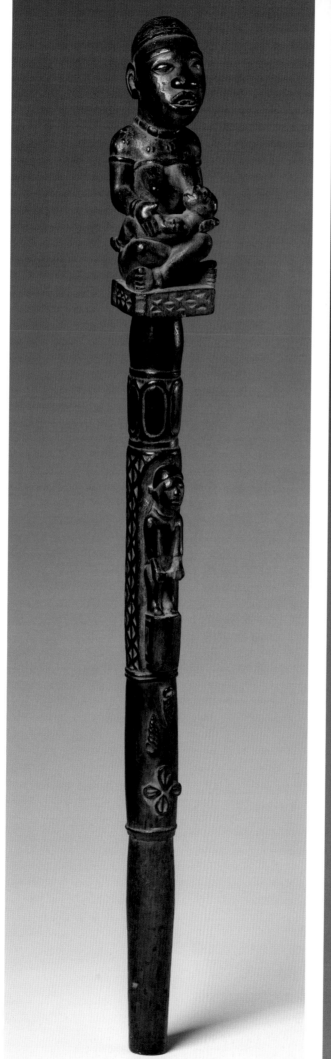

Yombe, Democratic Republic of the Congo
Demokratische Republik Kongo
Democratische Republiek Kongo
República Democrática del Congo
Tip of a sceptre, ivory
Bekrönung eines Zepters, Elfenbein
Uiteinde van scepter, ivoor
Terminación del cetro, marfil
1800–1900
h 22,7 cm / 9 in.
Musée du quai Branly, Paris

Kongo, Democratic Republic of the Congo
Demokratische Republik Kongo
Democratische Republiek Kongo
República Democrática del Congo
Power figure (*Nkisi*), wood, paint, nails, cloth, beads, shells,
arrows, leather, nuts, twine
Verkörperung der Macht (*nkisi*), Holz, Pigmente, Nägel,
Leinwand, Perlen, Muscheln, Pfeile, Leder, Nüsse, Schnur
Machtsfiguur (*nkisi*), hout, pigment, spijkers, stof, kralen,
schelpen, pijlen, leer, noten, touw
Figura de poder (*nkisi*), madera, pigmento, clavos, tela, perlas,
concha, flechas, cuero, nueces, cuerda
ca. 1800–1950
h 58,8 cm / 23.2 in.
The Metropolitan Museum of Art, New York

▶ Kongo, Democratic Republic of the Congo
Demokratische Republik Kongo
Democratische Republiek Kongo
República Democrática del Congo
Figure with medicinal properties (*Nkisi*), wood,
vegetable fibers, and unidentified materials
Figur zu therapeutischer Verwendung (*nkisi*), Holz,
Pflanzenfasern und nicht identifizierte Materialien
Figuur voor therapeutische werking (*nkisi*), hout,
plantaardige vezels en niet geïdentificeerde materialen
Figura de uso terapéutico (*nkisi*), madera, fibras vegetales
y materiales no identificados
1880–1920
h 16,51 cm / 6.5 in.
Yale University Art Gallery, New Haven

▶ Kongo, Democratic Republic of the Congo
Demokratische Republik Kongo
Democratische Republiek Kongo
República Democrática del Congo
Figure with medicinal properties (*Nkisi*),
wood, metal, resin, vegetable fibers
Figur zu therapeutischer Verwendung
(*nkisi*), Holz, Metall, Harz, Pflanzenfasern
Figuur voor therapeutische werking
(*nkisi*), hout, metaal, hars, plantaardige vezels
Figura de uso terapéutico (*nkisi*),
madera, metal, resina, fibras vegetales
1880–1920
h 110 cm / 43.3 in.
Musée du quai Branly, Paris

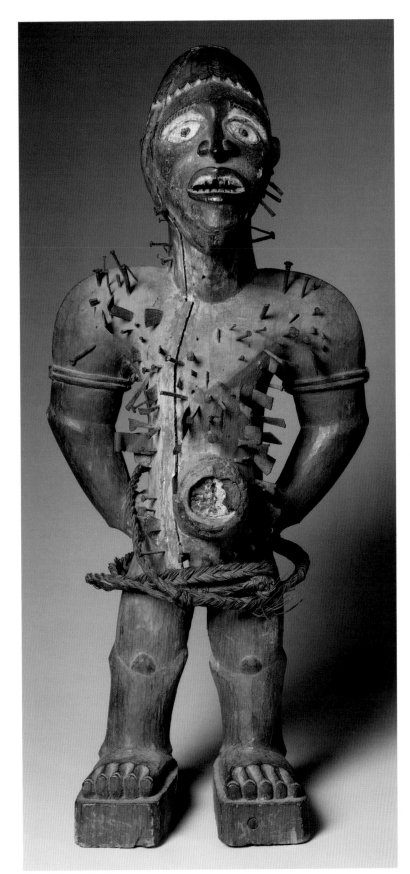

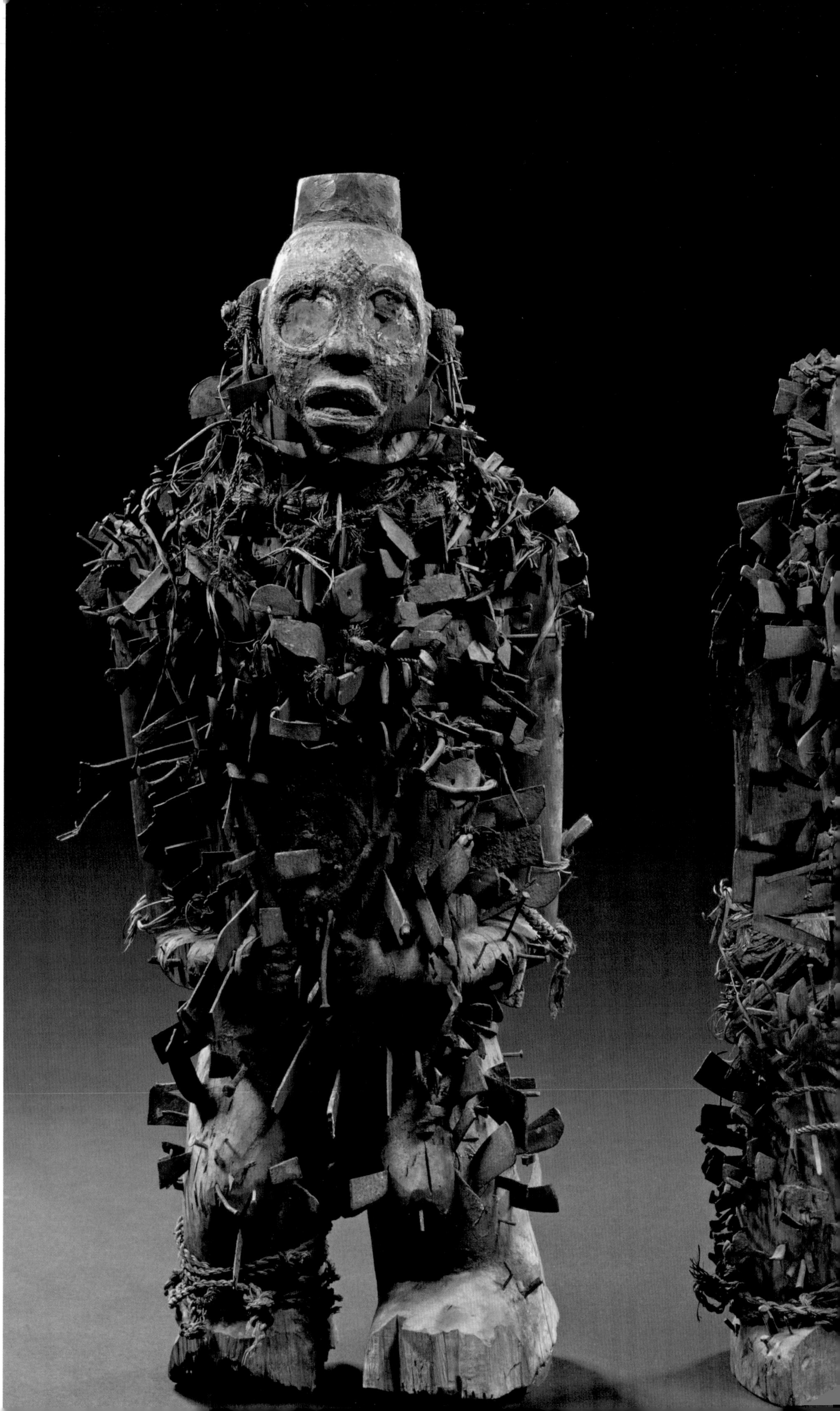

Kongo, Democratic Republic of the Congo
Demokratische Republik Kongo
Democratische Republiek Kongo
República Democrática del Congo
Three power figures, wood, iron and glass
Drei Machtfiguren, Holz, Eisen und Glas
Drie machtsfiguren, hout, ijzer en glas
Tres figuras de poder, madera, hierro y vidrio
1800–1900
Ethnologisches Museum, Berlin

▌ *These figures are more for seeing than for being seen. The same goes for the mirrors and bits of glass that are sometimes to be found on their stomachs: deliberately opaque, their gaze is directed towards the "other side", the world of the dead. What really counts is not the carved forms but what they conceal, the "medicine", the "soul" within, which is activated by the magician when he inserts nails or blades into the figurine. Dogs are seen as having mediumistic qualities.*

▌ *Die Funktion dieser Figuren besteht mehr darin, zu sehen als gesehen zu werden. Darauf weisen die Spiegel und Glasstücke hin, die manchmal auf dem Bauch erscheinen: Sie sind bewusst matt und zeigen den Blick von der anderen Seite in die Richtung der Totenwelt. Was wirklich wichtig ist, sind nicht so sehr die bildhauerischen Formen, sondern der versteckte Teil, die "Medizin", die darin steckt, und die "Seele", die dort wohnt und die vom Wahrsager belebt wird, wenn er Stiche und Klingen setzt. Den Hunden werden mediale Fähigkeiten zugesprochen.*

▌ *De functie van deze figuren ligt niet in het gezien worden, maar in het zien. Hierbij lijken de spiegels en ramen die soms op de buik verschijnen doorzichtig: opzettelijk ondoorzichtig, zicht biedend op de andere kant, naar de wereld der doden. Waar het om gaat is echt niet zozeer de sculpturale vormen als wel het verborgen gedeelte, het "medicijn" dat de "ziel" bevat, die daar in woont en die geactiveerd wordt door de waarzegger door er spijkers of messen in te steken. Aan honden kan het mediumschap herkend worden.*

▌ *La función de estas figuras no consiste tanto en ser vistas, sino en ver. A esto hacen referencia los espejos y vidrios que a veces aparecen sobre el vientre: opacos a propósito, dirigen la vista hacia la otra parte, hacia el mundo de los muertos. Lo que realmente importa no es tanto las formas escultóricas sino la parte escondida, la "medicina" que contiene el "alma" que allí habita y que es activada por el adivino colocando clavos o cuchillas. A los perros se les reconocen poderes de mediación.*

Kongo, Democratic Republic of the Congo	Zoomorphic figure with medicinal properties (*Nkisi*), wood, iron, glass, and rope	h 44 cm / 17.3 in.
Demokratische Republik Kongo	Zoomorphe Figur zu therapeutischer Verwendung (*nkisi*), Holz, Eisen, Glas und Schnur	Musée du quai Branly, Paris
Democratische Republiek Kongo	Zoomorfa figuur voor therapeutisch gebruik (*nkisi*), hout, ijzer, glas en draad	
República Democrática del Congo	Figura zoomorfa de uso terapéutico (*nkisi*), madera, hierro, vidrio y cuerda	

Vili, Democratic Republic of the Congo
Demokratische Republik Kongo
Democratische Republiek Kongo
República Democrática del Congo
Mask used for divination sessions, wood,
paint, monkey hair, cloth, metal
In Wahrsageséancen verwendete Maske,
Holz, Pigmente, Affenhaar
Masker gebruikt bij seances van divinatie,
hout, pigmenten, apenhaar, textiel, metaal
Máscara utilizada en las sesiones de adivinación,
madera, pigmentos, cabello de chimpancé, tejido, metal
h 34,5 cm / 13.6 in.
Musée du quai Branly, Paris

◀ **Vili, Democratic Republic of the Congo**
Demokratische Republik Kongo
Democratische Republiek Kongo
República Democrática del Congo
Mask, wood and pigments
Maske, Holz und Pigmente
Masker, hout en pigmenten
Máscara, madera y pigmentos
h 25,6 cm / 10 in.
Musée du quai Branly, Paris

Kongo,
Democratic Republic of the Congo
Demokratische Republik Kongo
Democratische Republiek Kongo
República Democrática del Congo
Triple Crucifix, wood and brass
Dreifaches Kruzifix, Holz und Messing
Drievoudig kruis, hout en messing
Triple crucifijo, madera y latón
1600–1700
The Metropolitan Museum of Art,
New York

Kongo,
Democratic Republic of the Congo
Demokratische Republik Kongo
Democratische Republiek Kongo
República Democrática del Congo
Crucifix, brass
Kruzifix, Messing
Crucifix, messing
Crucifijo, latón
1500–1700
h 27,3 cm / 10.8 in.
The Metropolitan Museum of Art,
New York

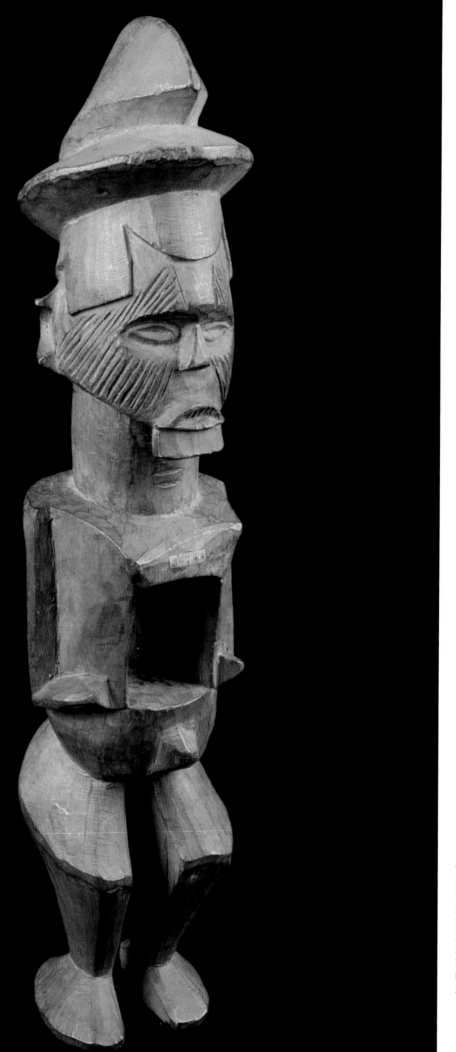

Teke, Democratic Republic of the Congo
Demokratische Republik Kongo
Democratische Republiek Kongo
República Democrática del Congo
Male figure, wood
Männliche Figur, Holz
Mannenfiguur, hout
Figura masculina, madera
h 34 cm / 13.4 in.
Musée du quai Branly, Paris

Teke, Democratic Republic of the Congo
Demokratische Republik Kongo
Democratische Republiek Kongo
República Democrática del Congo
Seated male figure, wood, metal, and shell
Sitzende männliche Figur, Holz, Metall, Muschel
Mannelijke zittende figuur, hout, metaal, schelp
Figura masculina sentada, madera, metal, concha
1800–1900
h 38,4 cm / 15.1 in.
Musée du quai Branly, Paris

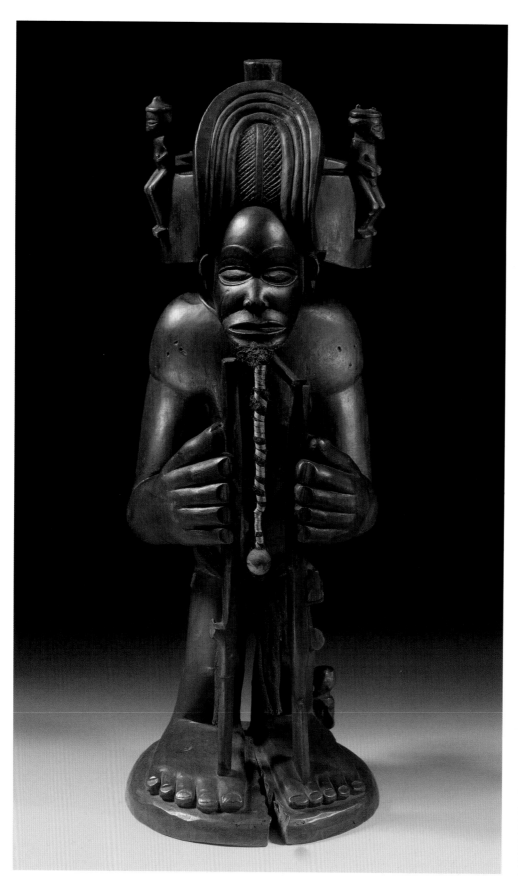

Chokwe, Angola
Figure of hero and founder Chibinda Ilunga, wood
Figur des Gründerhelden Chibinda Ilunga, Holz
Figuur van de stichtende held Chibinda Ilunga, hout
Figura del héroe fundador Chibinda Ilunga, madera
h 39 cm / 15.3 in.
Ethnologisches Museum, Berlin

Chokwe, Angola
Detail of chief figure
with characteristic headdress, wood
Detail einer Herrscherfigur
mit charakteristischer
Ausstaffierung, Holz
Detail van leiderfiguur
met de kenmerkende hoofdtooi, hout
Detalle de la figura del jefe
con el característico peinado, madera
ante 1869
Entwistle Gallery, London

▶ **Chokwe, Angola**
Figure of hero and founder
Chibinda Ilunga, wood
Figur des Gründerhelden
Chibinda Ilunga, Holz
Figuur van de stichter en held
Chibina Ilunga, hout
Figura del héroe fundador
Chibinda Ilunga, madera
1800–2000
Courtesy Christie's

▶ **Chokwe, Angola**
Figure of Chibinda Ilunga,
wood, hair, leather
Figur des Chibinda Ilunga,
Holz, Haare, Leder
Afbeelding van Chibinda Ilunga,
hout, haar, huid
Figura de Chibinda Ilunga,
madera, cabello, piel
ca. 1850
h 40,6 cm / 16 in.
Kimbell Art Museum,
Fort Worth (TX)

Chokwe, Angola
Figure of a chief holding a sanza, a musical
instrument of the ideophone family
Ein Anführer mit einer Mbira, einem
dem Xylophon ähnlichen Musikinstrument
Leiderfiguur met een sanza, een muziekinstrument
dat op een xylofoon lijkt
Figura del jefe con una kalimba,
instrumento musical parecido al xilófono
1800–1900
Entwistle Gallery, London

▶ **Chokwe, Angola**
Detail of statuette representing a tribe chief playing
the sanza (*Mwanangana*), wood, cloth, fibre, beads
Detail einer Statue eines Stammeshäuptlings, der die Mbira
(*Mwanangana*) spielt, Holz, Leinwand, Fasern und Perlen
Detail van een afbeelding van een stamhoofd dat een sanza
bespeelt (*Mwanangana*), hout, stof, vezel en kralen
Detalle de la estatuilla que representa un jefe de la tribu
que toca la kalimba (*Mwanangana*), madera, tela, fibra, perlas
ante 1869
h 42,5 cm / 16.8 in.
The Metropolitan Museum of Art, New York

Chokwe, Angola
Fetish figure with human hair, wood, iron,
brass, glass bead, hair and clay
Fetischfigur mit Menschenhaar, Holz,
Eisen, Messing, Glasperlen, Haare und Ton
Fetisjfiguur met menselijke haardos, hout,
ijzer, messing, glaskralen, haar en klei
Figura fetiche con cabellera humana, madera,
hierro, latón, perlas de vidrio, cabello y arcilla
1800–1900
h 58 cm / 22.9 in.
Ethnologisches Museum, Berlin

Chokwe, Angola
Sceptre, wood
Zepter, Holz
Scepter, hout
Cetro, madera
h 60,3 cm / 23.7 in.
Musée du quai Branly, Paris

Chokwe, Angola
Flute, wood
Flöte, Holz
Fluit, hout
Flauta, madera
h 12 cm / 4.7 in.
Musée du quai Branly, Paris

Chokwe, Angola
Chief's stool in the shape of a bird, wood
Häuptlingshocker in Vogelform, Holz
Taboeret van leider in de vorm van een vogel, hout
Banquillo del jefe con forma de pájaro, madera
1800–2000
Private collection / Privatsammlung
Privécollectie / Colección privada

Chokwe, Angola   Caryatid stool, wood   h 39,5 cm / 15.6 in.   ▶ **Chokwe, Angola**   Caryatid stool, wood and brass   1800–2000
                     Hocker mit einer Karyatide, Holz   Musée du quai Branly, Paris   Hocker mit einer Karyatide, Holz und Messing   Entwistle Gallery,
                     Taboeret met kariatide, hout   Taboeret met kariatide, hout en messing   London
                     Banco con cariátide, madera   Banco con cariátide, madera y latón

◄ **Chokwe, Angola** Female mask (*Pwo*), wood, vegetable fibers, brass, and pigments
Weibliche Maske (*pwo*), Holz, Pflanzenfasern, Messing und Pigmente
Vrouwelijk masker (*pwo*), hout, plantaardige vezels, messing en pigmenten
Máscara feminina (*pwo*), madera, fibras vegetales, latón y pigmentos

1900–1920
h 27 cm / 10.6 in.
The Metropolitan Museum of Art, New York

Chokwe, Angola Female mask (*Mwana Pwo*), wood, fibre, red paint
Weibliche Maske (*mwana pwo*), Holz, Fasern, rotes Pigment
Vrouwelijk masker (*mwana pwo*), hout, vezel, rood pigment
Máscara feminina (*mwana pwo*), madera, fibra, pigmento rojo

1900–2000
h 25,4 cm / 10 in.
Yale University Art Gallery, New Haven

❚ *The* Pwo *mask is the wife of the Chihongo mask: the latter stands for abundance, the former, for fertility. She tended formerly to be depicted as an old woman, but here she is young and nubile.*
❚ *Die Maske* Pwo *ist die Frau der Maske Chihongo: diese stellt die Üppigkeit dar und verkörpert die Fruchtbarkeit. Während sie in der Vergangenheit als Figur einer Alten gesehen wurde, gilt sie heute als eine junge Frau in heiratsfähigem Alter.*
❚ *Het masker* Pwo *vertegenwoordigt de echtgenote van het masker Chihongo: dit staat voor overvloed en belichaamt de waarde van de vruchtbaarheid. In het verleden werd het gezien als de figuur van een oude vrouw, tegenwoordig juist de jonge vrouw van huwbare leeftijd.*
❚ *La máscara* Pwo *representa a la mujer de la máscara Chihongo: ésta representa la abundancia y aquélla encarna el valor de la fertilidad. Si en un pasado era vista como la figura de una anciana, hoy representa más bien una mujer joven y en edad de matrimonio.*

Chokwe, Angola
Female dance mask (*Mwana Pwo*)
Weibliche Tanzmaske (*mwana pwo*)
Vrouwelijk dansmasker (*mwana pwo*)
Máscara de baile femenina (*mwana pwo*)
1800–2000

Chokwe, Angola
Female dance mask (*Mwana Pwo*)
Weibliche Tanzmaske (*mwana pwo*)
Vrouwelijk dansmasker (*mwana pwo*)
Máscara de baile femenina (*mwana pwo*)
1900–2000
Entwistle Gallery, London

Chokwe, Angola Female dance mask (*Mwana Pwo*) 1800–2000
Weibliche Tanzmaske (*mwana pwo*) Entwistle Gallery, London
Vrouwelijk dansmasker (*mwana pwo*)
Máscara de baile femenina (*mwana pwo*)

Chokwe, Angola *Mwana Pwo* type mask, idealised depiction 1900–2000
of young girl with facial scarifications
Mwana pwo-Maske, idealisierte Mädchendarstellung mit
Opfergaben
Masker van het type *mwana pwo*, geïdealiseerde weergave
van meisje met littekens
Máscara del tipo *mwana pwo*, representación idealizada de
una mujer con escarificaciones

Chokwe, Angola
Throne, wood
Thron, Holz
Troon, hout
Trono, madera
h 114,5 cm / 45.1 in.
Museum für Völkerkunde, Berlin

▶ **Chokwe, Angola**
Details of throne with images of daily life, wood
Details eines Thrones mit Darstellungen
des täglichen Lebens, Holz
Details van troon met afbeeldingen
uit het dagelijks leven, hout
Detalles del trono con representaciones
de la vida cotidiana, madera
ca. 1900–1920
Musée Royale de l'Afrique Centrale, Tervuren

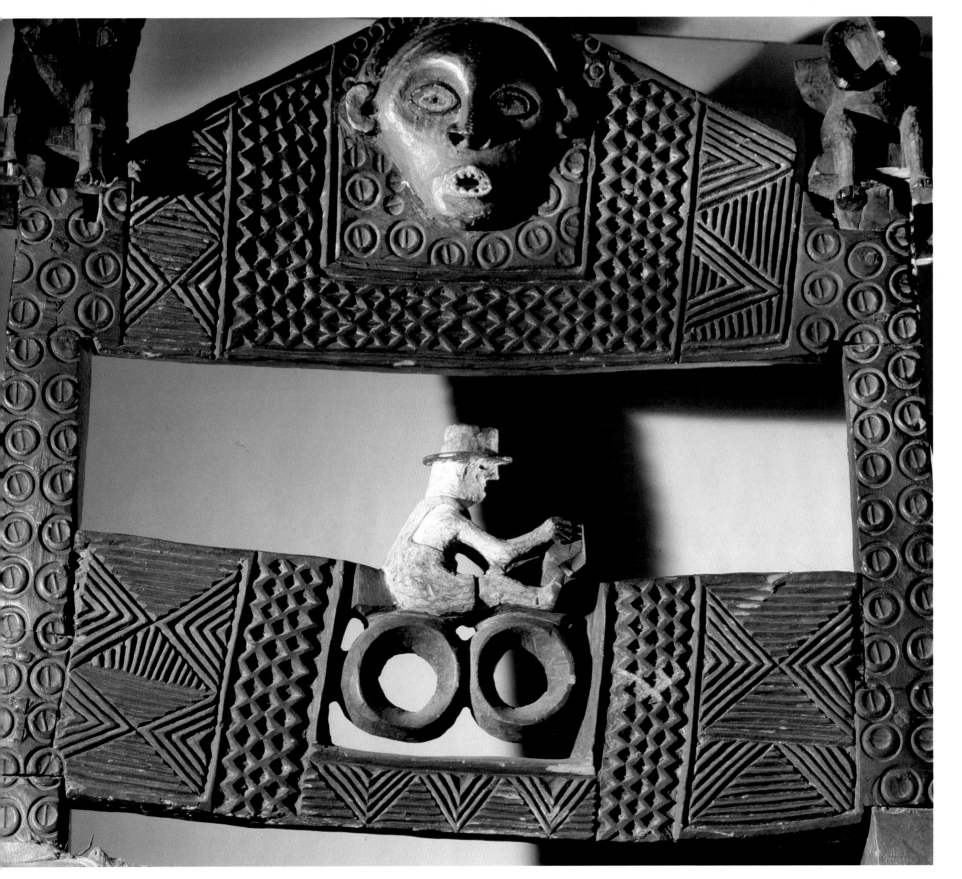

Yaka, Democratic Republic of the Congo / Demokratische Republik Kongo
Democratische Republiek Kongo /República Democrática del Congo
Initiation mask (*Kholuka*), wood, vegetable fibers, cloth, pigments
Inititationsmaske (*kholuka*), Holz, Pflanzenfasern, Stoff, Pigmente
Initiatiemasker (*kholuka*), hout, plantaardige vezels, weefsel, pigmenten
Máscara de iniciación (*kholuka*), madera, fibras vegetales, tela, pigmentos
h 60 cm / 23.6 in.
Private collection / Private Sammlung / Privécollectie / Colección privada

Suku, Democratic Republic of the Congo / Demokratische Republik Kongo
Democratische Republiek Kongo / República Democrática del Congo
Initiation mask (*Kakuungu*), wood, raffia, pigments, turtle shell
Inititationsmaske (*kakuungu*), Holz, Bast, Pigmente, Schildkrötenpanzer
Initiatiemasker (*kakuungu*), hout, raffia, pigmenten, schildpaddenschild
Máscara de iniciación (*kakuungu*), madera, rafia, pigmentos, caparazón de tortuga
1880–1820
h 114,5 cm / 45.11 in.
Yale University Art Gallery, New Haven

▶ Yaka, Democratic Republic of the Congo / Demokratische Republik Kongo
Democratische Republiek Kongo / República Democrática del Congo
Anthropomorphic mask, wood and vegetable fibres
Anthropomorphe Maske, Holz und Pflanzenfasern
Antropomorf masker, hout en plantaardige vezels
Máscara antropomorfa, madera y fibras vegetales
1910
h 62,2 cm / 24.5 in.
Musée du quai Branly, Paris

◄ Bena Biombo, Democratic
Republic of the Congo
Demokratische Republik Kongo
Democratische Republiek Kongo
República Democrática del Congo

Mask, wood, metal, vegetable fibres
Maske, Holz, Metall, Pflanzenfasern
Masker, hout, metaal, plantaardige vezels
Máscara, madera, metal, fibras vegetales

h 35,5 cm / 14 in.
Musée du quai Branly,
Paris

Pende, Democratic
Republic of the Congo
Demokratische
Republik Kongo
Democratische
Republiek Kongo
República
Democrática del Congo

Gitenga mask representing the sun,
symbol of life
Die Gitenga-Maske symbolisiert
die Sonne, Quelle des Lebens
Gitenga-masker dat de zon uitbeeldt,
symbool van het leven
Máscara gitenga que representa
el Sol, símbolo de la vida

1800–2000
Musée Royale de
l'Afrique Centrale,
Tervuren

While fibre masks were worn by hunters, wooden masks were used by warriors, and wooden masks covered with copper plates were worn by the chiefs. Each step in the mask hierarchy corresponds to the acquisition of esoteric knowledge. The braided fibre coiffure, the large rounded forehead with deep-set eyes, the triangular nose and open mouth with sharp teeth are all characteristic.

Während die Fasermasken auf die Jäger verwiesen, gehörten die aus Holz zu den Kriegern und die Masken, die zwar auch aus Holz waren, aber von Kupfer überzogen, waren die der Anführer. Mit jedem Grad, der in der Hierarchie der Masken erreicht wird, gewinnt man ein bestimmtes esoterisches Wissen. Ihre Merkmale sind die Frisuren aus geflochtenen Fasern, die große gewölbte Stirn mit den stark ausgehöhlten Augen, der dreieckigen Nase und der offene Mund mit den gefeilten, bedrohlich zur Schau gestellten Zähnen.

Terwijl men aan maskers van vezels jagers herkende, die van hout behoorden tot de krijgers en die altijd van hout waren, maar bedekt met koperen platen, waren de leiders. Bij elke afgelegde stap langs de hiërarchie van de maskers, verwierven sommigen esoterische kennis. Eigenschappen zijn een kapsel van gevlochten vezels, de grote uitpuilende bron en de diepliggende ogen, de driehoekige neus en een open mond met tanden dreigend in beeld.

Mientras las máscaras de fibras señalaban a los cazadores, las de madera pertenecían a los guerreros y éstas, siempre de madera pero recubiertas con planchas de cobre, eran de los jefes. A cada escalón alcanzado a lo largo de la jerarquía de las máscaras, se adquiría un cierto saber esotérico. Son característicos el peinado hecho de fibras entrelazadas, la gran frente curvada con los ojos fuertemente ahuecados, la nariz triangular y la boca abierta con los dientes limados exhibidos de manera amenazadora.

Pende, Democratic Republic of the Congo
Demokratische Republik Kongo
Democratische Republiek Kongo
República Democrática del Congo
Pota or *Ginjinga* mask, wood, straw, and raffia
Pota Maske (*ginjinga*), Holz, Stroh und Bast
Pota masker (*ginjinga*), hout, stro en raffia
Máscara pota (*ginjinga*), madera, paja y rafia
1800–1900
h 22 cm / 8.6 in.
Ethnologisches Museum, Berlin

Pende, Democratic Republic of the Congo
Demokratische Republik Kongo
Demokratische Republiek Kongo
República Democrática del Congo

Mbuya mask, wood and vegetable fibers
Mbuya-Maske, Holz und Pflanzenfasern
Mbuya masker, hout en plantaardige vezels
Máscara *mbuya*, madera y fibras vegetales

1880–1920
h 38,1 cm / 15 in.
Yale University Art Gallery, New Haven

◄ Pende, Democratic Republic of the Congo
Demokratische Republik Kongo
Democratische Republiek Kongo
República Democrática del Congo
Helmet mask (*Giphogo*), wood and pigments
Helmmaske *Giphogo*, Holz, Pigmente
Helmmasker *giphogo*, hout, pigmenten
Máscara casco *giphogo*, madera, pigmentos
h 29 cm / 11.4 in.
Private collection / Private Sammlung
Privécollectie / Colección privada

Pende, Democratic Republic of the Congo
Demokratische Republik Kongo
Democratische Republiek Kongo
República Democrática del Congo
Divination instrument
Instrument, das beim Wahrsagen verwendet wird
Instrument van divinatie
Instrumento de adivinación
1800–2000

Pende, Democratic Republic of the Congo
Demokratische Republik Kongo
Democratische Republiek Kongo
República Democrática del Congo
Ceremonial axe, wood and iron
Zeremonienaxt, Holz und Eisen
Ceremoniële bijl, hout en ijzer
Hacha ceremonial, madera y hierro
1900–2000
h 38,5 cm / 15.1 in.
Ethnologisches Museum, Berlin

Kuba, Democratic Republic of the Congo
Demokratische Republik Kongo
Democratische Republiek Kongo
República Democrática del Congo
Figure of king (*Ndop*), wood
Herrscherfigur (*ndop*), Holz
Vorstenfiguur (*ndop*), hout
Figura de soberano (*ndop*), madera
ca. 1760–1780
h 49,4 cm / 19.4 in.
Brooklyn Museum of Art, New York

◀ **Salampasu, Democratic Republic of the Congo**
Demokratische Republik Kongo
Democratische Republiek Kongo
República Democrática del Congo
Male warrior society mask, wood, copper, and fiber
Maske des männlichen Kriegerstammes, Holz, Kupfer und Fasern
Masker van de mannelijke maatschappij van strijders, hout, koper en vezels
Máscara de la sociedad masculina de los guerreros, madera, cobre y fibras
h 31 cm / 12.2 in.
Private collection / Private Sammlung
Privécollectie / Colección privada

■ The dark and light triangle pattern on the forehead refers to the design of bark fabrics formerly worn by the Kuba people and still worn today when in mourning. The mask represents the sister-wife of Woot (the mythical forefather of the Kuba people) and embodies the feminine ideal.

■ Das Motiv mit hellen und dunklen Dreiecken auf der Vorderseite verweist auf das Design der Rindenstoffe, die die Kuba in der Vergangenheit trugen und die sie noch heute während der Trauer anziehen. Stellt die Schwester und Mutter von Woot dar (der mythische Erzeuger des Kuba-Volkes) und verkörpert das Vorbild der Weiblichkeit.

■ Het lichte en donkere driehoekige patronen, dat verschijnt aan de voorkant verwijst naar het ontwerp van de kleding geweven van schors waarmee de Kuba zich in het verleden kleedde, en ook nu nog wordt het gedragen tijdens de rouw. Vertegenwoordigt de zus en vrouw van Woot (de mythische stamvader van het Kuba-volk) en belichaamt het model van vrouwelijkheid.

■ El motivo a triángulos claros y oscuros que aparece sobre la frente hace referencia al diseño de los tejidos hechos de corteza con los que se vestían los Kuba en el pasado y que todavía hoy son usados durante el luto. Representa a la hermana y a la mujer de Woot (el antepasado mítico del pueblo kuba) y representa el modelo de la femineidad.

◀ Kuba, Democratic Republic of the Congo
Demokratische Republik Kongo
Democratische Republiek Kongo
República Democrática del Congo
Mbwoom mask, wood, cowrie shells,
glass beads, fur, cloth
Mbwoom-Maske, Holz, Kaurimuscheln,
Glasperlen, Pelz, Stoff
Masker *mbwoom*, hout, kauri schelpen,
glaskralen, leer, stof
Máscara *mbwoom*, madera, cauríes,
cuentas de vidrio, pelaje, tela
h 29,3 cm / 11.5 in.
Brooklyn Museum of Art, New York

Kuba,
Democratic Republic of the Congo
Demokratische Republik Kongo
Democratische Republiek Kongo
República Democrática del Congo
Ngady a Mwash mask
Ngady a mwash-Maske
Ngady a mwash-masker
Máscara *ngady a mwash*
1800–2000
National Museum of Ghana, Accra

Democratic Republic of the Congo / Demokratische Republik Kongo
Democratische Republiek Kongo / República Democrática del Congo
Ngady a Mwaash mask, wood, cowrie shells, glass beads, cloth, pigments
Ngady a mwash-Maske, Holz, Kaurimuscheln, Glasperlen, Stoff, Pigmente
Masker *ngady a mwash*, hout, kauri schelpen, glaskralen, stof, pigmenten
Máscara *ngady mwash*, madera, cauríes, cuentas di vidrio, tela, pigmentos
ca. 1900
h 38,1 cm / 15 in.
The Detroit Institute of Art, Detroit

Kuba, Democratic Republic of the Congo
Demokratische Republik Kongo
Democratische Republiek Kongo
República Democrática del Congo
Helmet mask known as *Mboom* or *Bwoom*
Eine Helmmaske, genannt *mboom* oder *bwoom*
Een helmmasker bekend als *mboom* of *bwoom*
Un casco/máscara conocido como *mboom* o *bwoom*
1800–2000
Musée Royale de l'Afrique Centrale, Tervuren

Kuba, Democratic Republic of the Congo
Demokratische Republik Kongo
Democratische Republiek Kongo
República Democrática del Congo
Mwashamboy mask, cloth, vegetable fibers,
animal skins, glass beads, cowrie shells
Mwashamboy-Maske, Stoff, Pflanzenfasern, Tierfell,
Glasperlen, Kaurimuscheln
Masker *mwashamboy*, stof, plantaardige vezels,
dierlijk haar, glaskralen, kauri schelpen
Máscara *mwashamboy*, tela, fibras vegetales,
piel animal, cuentas de vidrio, cauríes
h 40 cm / 15.7 in.
Collezione Fernando Mussi, Monza

Kuba, Democratic Republic of the Congo
Demokratische Republik Kongo
Democratische Republiek Kongo
República Democrática del Congo
Mask with two horns, wood, raffia
Gehörnte Maske, Holz, Bast
Masker met twee hoorns, hout, raffia
Máscara con dos cuernos, madera, rafia
h 58 cm / 22.9 in.
Ethnologisches Museum, Berlin

Binji, Democratic Republic of the Congo
Demokratische Republik Kongo
Democratische Republiek Kongo
República Democrática del Congo
Mask, wood, raffia, pigments
Maske, Holz, Bast, Pigmente
Masker, hout, raffia, pigmenten
Máscara, madera, rafia, pigmentos
h 65 cm / 25.6 in.
Ethnologisches Museum, Berlin

Kuba,
Democratic Republic of the Congo
Demokratische Republik Kongo
Democratische Republiek Kongo
República Democrática del Congo

Anthropomorphic cup, wood
Anthropomorpher Becher, Holz
Antropomorfe beker, hout
Copa antropomorfa, madera

1800–2000
Musée Royale
de l'Afrique
Centrale, Tervuren

Kuba,
Democratic Republic of the Congo
Demokratische Republik Kongo
Democratische Republiek Kongo
República Democrática del Congo

Cup for palm wine, wood
Becher für den Palmenwein, Holz
Wijnbeker van palm, hout
Copa para el vino de palma, madera

1800–1920
h 15 cm / 5.9 in.
Ethnologisches
Museum, Berlin

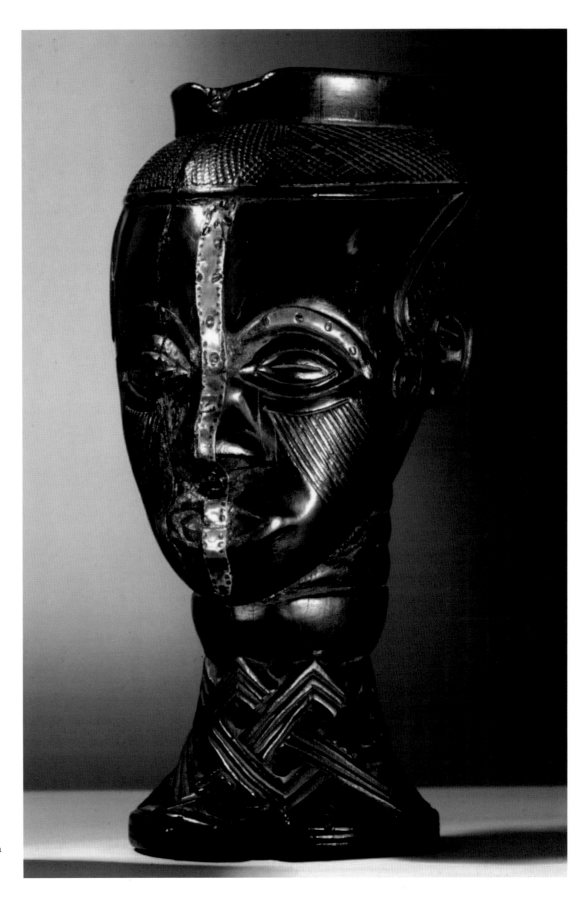

Kuba, Democratic Republic of the Congo
Demokratische Republik Kongo
Democratische Republiek Kongo
República Democrática del Congo
Drinking cup in the shape of a human head, wood
Trinkbecher in Form eines Menschenkopfes, Holz
Drinkbeker in de vorm van een mensenhoofd, hout
Copa para beber con forma de cabeza humana, madera
1800–2000
Entwistle Gallery, London

▌ *Embroidered raffia fabrics are thought to have originated on the Atlantic coast of the Congo and then spread inland reaching the Kuba kingdom between the 17th and 18th century. In the course of this, the design, originally symmetrical and regular, became more inventive and open to improvisation, probably under the influence of the freer design of bark painting.*

▌ *Die Stoffe in eingeflochtenem Raffia sollen ihren Ursprung an den atlantischen Küsten des Kongo gehabt haben, um sich dann in das Landesinnere auszubreiten und das Reich der Kuba zwischen dem 17. und 18. Jahrhundert zu erreichen. Während der Verbreitung hat sich das Design jedoch verändert und ist nicht mehr symmetrisch und regelmäßig, sondern erfinderischer und offener für Improvisation. Wahrscheinlich wurde es von dem freizügigeren Design der Rindenmalerei beeinflusst.*

▌ *De met raffia geborduurde stoffen zouden hun oorsprong hebben aan de Atlantische kusten van de Kongo om vervolgens naar de binnenlanden te verspreiden en het koninkrijk van Kuba tussen de zeventiende en achttiende eeuw te bereiken. Bij het overbrengen is het ontwerp veranderd van symmetrisch en gelijkmatig naar inventiever en meer open voor improvisatie, waarschijnlijk beïnvloed door het ontwerp, vrijer dan schilderen op schors.*

▌ *Los tejidos en rafia bordada habrían tenido su origen en las costas atlánticas del Congo para luego difundirse hacia el interior y alcanzar el reino kuba entre los siglos XVII y XVIII. En la transmisión, sin embargo, el dibujo se ha modificado y de simétrico y regular que era, se ha vuelto más inventivo y abierto a la improvisación, probablemente influenciado por el dibujo, más libre, de la pintura sobre la corteza.*

Kuba, Democratic Republic of the Congo Demokratische Republik Kongo Democratische Republiek Kongo República Democrática del Congo	Embroidered cloth (*Shoowa*), raffia, pigments Bestickter Stoff (*shoowa*), Bast, Pigmente Geborduurde stof (*shoowa*), raffia, pigmenten Tejido bordado (*shoowa*), rafia, pigmentos	1800–2000 51,4 x 116,2 cm 20.2 x 45.7 in. The Metropolitan Museum of Art, New York

▶ Kuba, Democratic Republic of the Congo Demokratische Republik Kongo Democratische Republiek Kongo República Democrática del Congo	Ceremonial skirt (*Ntshak*), raffia, pigments Zeremonienrock (*ntshak*), Bast, Pigmente Cerimoniële jurk (*ntshak*), raffia, pigmenten Falda ceremonial (*Ntshak*), rafia, pigmentos	1900–2000 Private collection / Private Sammlung Privécollectie / Colección privada

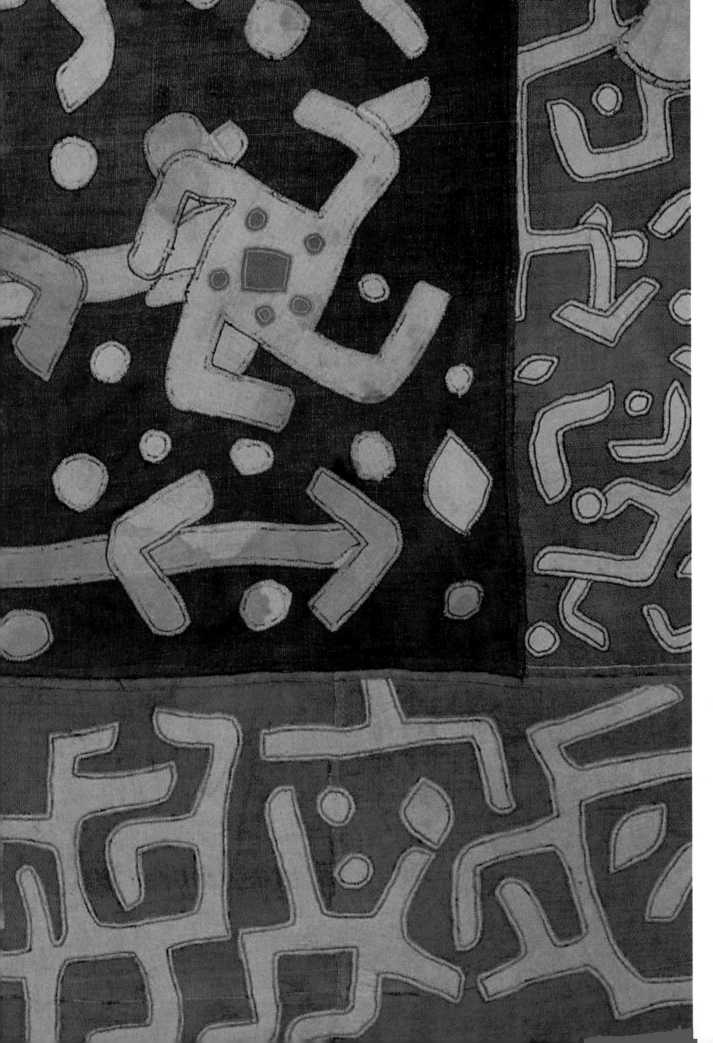

Kuba, Democratic Republic of the Congo
Demokratische
Republik Kongo
Democratische
Republiek Kongo
República Democrática del Congo
Ceremonial skirt (*Ntshak*), raffia, pigments
Zeremonienrock (*ntshak*), Bast, Pigmente
Cerimoniële jurk (*ntshak*), raffia, pigmenten
Falda ceremonial (*ntshak*), rafia, pigmentos
1900–2000
Ernst Anspach Collection, New York

Bena Lulua, Democratic Republic of the Congo
Demokratische Republik Kongo
Democratische Republiek Kongo
República Democrática del Congo
Mbulenga statuette with scarification marks
Mbulenga-Statuette mit Opferzeichnungen
Mbulenga-beeldje met inkervingen
Estatua *mbulenga*, con dibujos de escarificaciones
ca. 1850
Entwistle Gallery, London

Bena Lulua, Democratic Republic of the Congo
Demokratische Republik Kongo
Democratische Republiek Kongo
República Democrática del Congo
Maternal figure, wood, metal ring
Mutterschaft, Holz, Metallring
Moederschap, hout, metalen ring
Maternidad, madera, anillo de metal
1800–1920
h 24,8 cm / 9.7 in.
The Metropolitan Museum of Art, New York

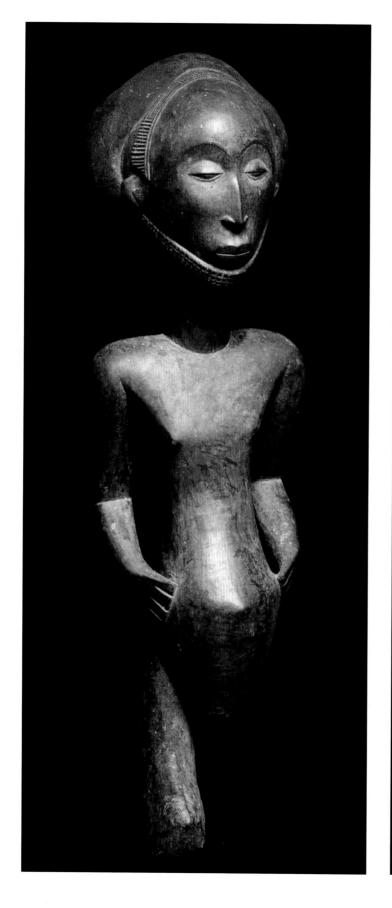

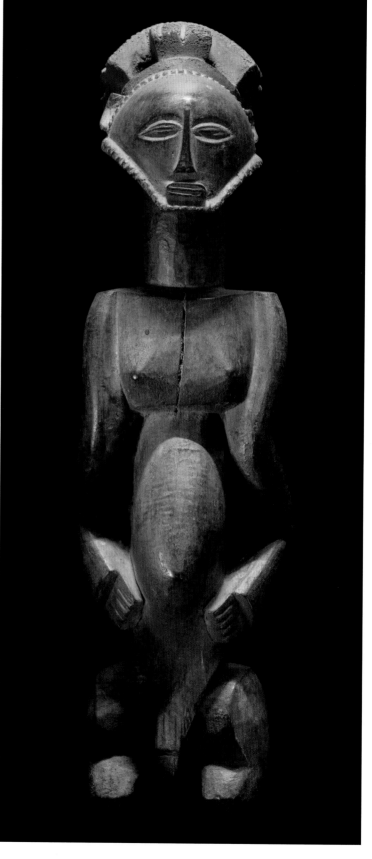

Luba, Democratic Republic of the Congo
Demokratische Republik Kongo
Democratische Republiek Kongo
República Democrática del Congo
Manjema mask, wood and raffia
Manjema-Maske, Holz und Bast
Manjema masker, hout en raffia
Máscara *manjema*, madera y rafia
h 42 cm / 16.5 in.
Ethnologisches Museum, Berlin

◀ Hemba, Democratic Republic of the Congo
Demokratische Republik Kongo
Democratische Republiek Kongo
República Democrática del Congo
Ancestral figure, wood
Ahnenfigur, Holz
Figuur van een voorouder, hout
Figura de antepasado, madera
h 69 cm / 27.1 in.
Private collection / Private Sammlung
Privécollectie / Colección privada

◀ Hemba, Democratic Republic of the Congo
Demokratische Republik Kongo
Democratische Republiek Kongo
República Democrática del Congo
Male figure of chief, wood
Männliche Figur eines Häuptlings, Holz
Mannelijke leiderfiguur, hout
Figura masculina del jefe, madera
1800–1900
h 74 cm / 29.2 in.
Musée du quai Branly, Paris

Luba, Democratic Republic of the Congo
Demokratische Republik Kongo
Democratische Republiek Kongo
República Democrática del Congo
Headrest, wood
Kopfstütze, Holz
Hoofdsteun, hout
Apoyacabeza, madera
1800–1900
h 16,2 cm / 6.3 in.
The Metropolitan Museum of Art, New York

▶ **Maître des coiffures en cascade,**
Democratic Republic of the Congo
Demokratische Republik Kongo
Democratische Republiek Kongo
República Democrática del Congo
Headrest, wood
Kopfstütze, Holz
Hoofdsteun, hout
Apoyacabeza, madera
1800–1900
h 18,5 cm / 7.2 in.
Musée du quai Branly, Paris

Maître de Buli,
Democratic Republic of the Congo
Demokratische Republik Kongo
Democratische Republiek Kongo
República Democrática del Congo
Stool, wood
Sitz, Holz
Zetel, hout
Asiento, madera
1800–1900
h 61 cm / 24 in.
The Metropolitan Museum of Art, New York

Maître de Buli, Democratic Republic of the Congo
Demokratische Republik Kongo
Democratische Republiek Kongo
República Democrática del Congo

Stool supported by a kneeling woman, wood
Von einer knienden weiblichen Figur gestützter Hocker, Holz
Kruk ondersteund door knielende vrouwenfiguur, hout
Banquillo sostenido por una figura femenina arrodillada, madera

ca. 1880–1900
Entwistle Gallery, London

Luba, Democratic Republic of the Congo
Demokratische Republik Kongo
Democratische Republiek Kongo
República Democrática del Congo

Stool supported by two figures and detail, wood
Von zwei Figuren gestützter Hocker und Detail, Holz
Kruk ondersteund door twee figuren en detail, hout
Banquillo sostenido por dos figuras y detalle, madera

1800–1900
h 54,8 cm / 21.6 in.
Ethnologisches Museum, Berlin

Luba,
Democratic Republic of the Congo
Demokratische Republik Kongo
Democratische Republiek Kongo
República Democrática del Congo
Detail of caryatid stool, wood
Detail einer Karytide an einem Thron, Holz
Detail van kariatide van kruk, hout
Detalle de la cariátide del banquillo, madera
h 30,5 cm / 12 in.
Musée du quai Branly, Paris

Luba, Democratic Republic of the Congo
Demokratische Republik Kongo
Democratische Republiek Kongo
República Democrática del Congo
Female figure with bowl for white clay, wood
Weibliche Figur mit Schälchen für weißen Ton, Holz
Vrouwenfiguur met kom voor witte klei, hout
Figura femenina con recipiente para la arcilla blanca,
madera
1800–1900
h 35 cm / 13.8 in.
Musée du quai Branly, Paris

◀ Luba, Democratic Republic of the Congo
Demokratische Republik Kongo
Democratische Republiek Kongo
República Democrática del Congo
Female figure with bowl, wood
Weibliche Figur mit Schälchen, Holz
Vrouwenfiguur met kom, hout
Figura femenina con recipiente, madera
1880–1920
h 31,8 cm / 12.5 in.
Yale University Art Gallery, New Haven

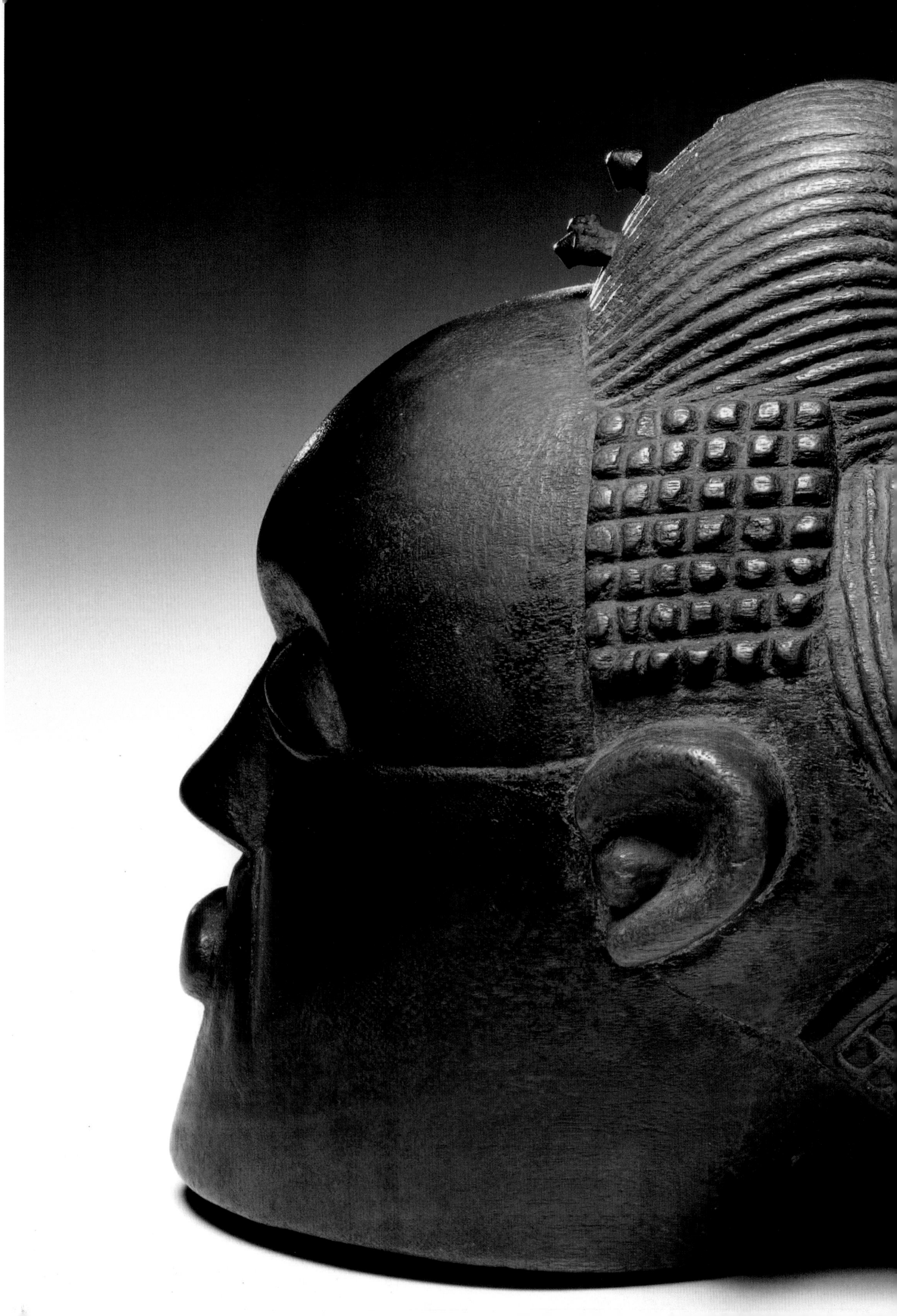

Luba, Democratic Republic of the Congo
Demokratische Republik Kongo
Democratische Republiek Kongo
República Democrática del Congo
Engraved jug, wood
Geschnitztes Trinkgefäß, Holz
Gekerfde karaf, hout
Jarra tallada, madera
1900–1920
14 x 18 cm / 5.5 x 7.1 in.
Ethnologisches Museum, Berlin

Luba,
Democratic Republic
of the Congo
Demokratische
Republik Kongo
Democratische
Republiek Kongo
República Democrática
del Congo
Ruler's sceptre, wood
Herrscherzeichen, Holz
Hoofdteken, hout
Enseña de jefe, madera
1800–1900
h 131,5 cm / 51.8 in.
Musée du quai Branly,
Paris

Luba,
Democratic Republic
of the Congo
Demokratische
Republik Kongo
Democratische
Republiek Kongo
República Democrática
del Congo
Bow support,
wood and iron
Pfeil- und
Bogenhalterung,
Holz und Eisen
Pijlhouder, hout en ijzer
Portaflechas,
madera y hierro
h 57,8 cm / 22.7 in.
Ethnologisches
Museum, Berlin

Luba,
Democratic Republic of the Congo
Demokratische Republik Kongo
Democratische Republiek Kongo
República Democrática del Congo
Comb, wood
Kamm, Holz
Kam, hout
Peine, madera
1900–2000
h 22,2 cm / 8.8 in.
County Museum of Art (LACMA),
Los Angeles

Songye,
Democratic Republic of the Congo
Demokratische Republik Kongo
Democratische Republiek Kongo
República Democrática del Congo
Figure with medicinal properties and detail, wood,
copper, brass, iron, fiber, snakeskin, leather, fur,
feathers, mud, resin
Figur zu therapeutischer Verwendung und Detail,
Holz, Kupfer, Messing, Eisen, Fasern, Schlangenhaut,
Leder, Pelz, Federn, Erde
Figuur voor therapeutisch gebruik en detail, hout,
koper, messing, ijzer, vezels, slangenhuid, leer, vacht,
veren, aarde
Figura de uso terapéutico y detalle, madera, cobre,
latón, hierro, fibras, piel de serpiente, cuero, pelaje,
plumas, barro
1800–2000
h 91,9 cm / 36.2 in.
The Metropolitan Museum of Art, New York

◀ **Tabwa, Democratic Republic of the Congo**
Demokratische Republik Kongo
Democratische Republiek Kongo
República Democrática del Congo
Male and female figures, wood
Paar, Holz
Beker, hout
Pareja, Madera
1700–1900
h 46,3; 47 cm / 18.2; 18.5 in.
The Metropolitan Museum of Art, New York

Songye, Democratic Republic of the Congo
Demokratische Republik Kongo
Democratische Republiek Kongo
República Democrática del Congo
Power figure used to cure or promote fertility, or to attack enemies
Machtfigur, die dem Erhalt und der Förderung der Fruchtbarkeit
oder dem Angriff auf Feinde diente
Machtsfiguur gebruikt voor genezen en bevorderen van vruchtbaarheid
of om vijanden aan te vallen
Figura de poder destinada a curar y favorecer la fertilidad
o para atacar a los enemigos
1800–2000
Fuhman Collection, New York

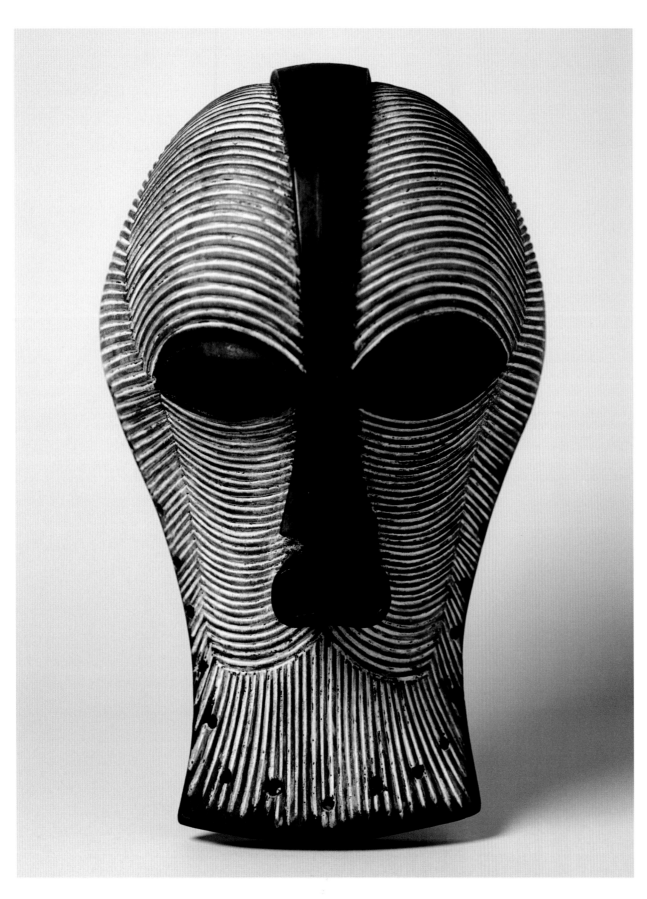

These masks' purpose is to control the power of the chiefs through the occult powers of witchcraft. Their appearance shows how dangerous they are; the surface incisions refer to the underground origins of the founding spirits of the Kifwebe society or to the cavern womb from which the first men emerged.

Ziel dieser Masken ist es, die Macht der Staatsoberhäupter über die mystischen Kräfte der Hexerei zu kontrollieren. Ihr Anblick drückt ihre Gefährlichkeit aus; die Einschnitte auf ihrer Oberfläche verweisen auf die Unterirdischen, aus denen die Gründergeister der Kifwebe-Gesellschaft hervorgegangen sind, oder auf den Schoß der Höhlen, aus dem die ersten Menschen herausgekommen sind.

Het doel van deze maskers is om de macht van de leiders onder controle te houden met de mystieke krachten van hekserij. Hun verschijning toont hun gevaarlijkheid; de insnijdingen aan de oppervlakte zijn de ondergrondse herinneringen waaruit de geesten van de kifwebe maatschappij kwamen of de baarmoeder van de grot waaruit de eerste mensen zijn gekomen.

El objetivo de estas máscaras es el de controlar el poder de los jefes a través de los poderes místicos de la brujería. Su aspecto expresa su peligrosidad; las tallas sobre la superficie hacen referencia a los subterráneos de donde vinieron los espíritus fundadores de la sociedad kifwebe o el interior de las cavernas de las que han salido los primeros hombres.

Songye, Democratic Republic of the Congo
Demokratische Republik Kongo
Democratische Republiek Kongo
República Democrática del Congo
Mask, wood
Maske, Holz
Masker, hout
Máscara, madera
h 40 cm / 15.7 in.
Musée du quai Branly, Paris

▶ Songye, Democratic Republic of the Congo
Demokratische Republik Kongo
Democratische Republiek Kongo
República Democrática del Congo
Kifwebe mask, wood and pigments
Kifwebe-Maske, Holz und Pigmente
Masker *kifwebe*, hout en pigmenten
Máscara *kifwebe*, madera y pigmentos
h 59,6 cm / 23.4 in.
Museum Rietberg, Zürich

◀ Songye,
Democratic Republic of the Congo
Demokratische Republik Kongo
Democratische Republiek Kongo
República Democrática del Congo

Headrest, wood
Kopfstütze, Holz
Hoofdsteun, hout
Apoyacabeza, Madera

1960
h 14,2 cm / 5.5 in.
Musée du quai Branly,
Paris

Bembe,
Democratic Republic of the Congo
Demokratische Republik Kongo
Democratische Republiek Kongo
República Democrática del Congo

Funerary figure,
cotton, vegetable fibers
Grabpuppe,
Baumwolle, Pflanzenfasern
Begrafenisbeeld, katoen,
plantaardige vezels
Maniquí funerario,
algodón, fibras vegetales

1900–2000
h 56,5 cm / 22.2 in.
Musée du quai
Branly, Paris

Lega,
Democratic Republic of the Congo
Demokratische Republik Kongo
Democratische Republiek Kongo
República Democrática del Congo
Figures used in the initiation rites of the male
Bwami society, ivory
In den Initiationsritender männlichen
Bwami-Gesellschaft verwendete Statuen, Elfenbein
Figuurtjes gebruikt bij de initiatieriten
van de mannelijke samenleving Bwami, ivoor
Estatuillas usadas en los ritos de iniciación
de la sociedad masculina Bwami, marfil
1800–2000
Friede Collection, New York

Mangbetu, Democratic Republic of the Congo
Demokratische Republik Kongo
Democratische Republiek Kongo
República Democrática del Congo
Anthropomorphic box, wood
Anthropomorphes Behältnis, Holz
Antropomorfe houder, hout
Caja antropomorfa, madera
1800–2000
Private collection / Privatsammlung
Privécollectie / Colección privada, New York

Mangbetu, Democratic Republic of the Congo
Demokratische Republik Kongo
Democratische Republiek Kongo
República Democrática del Congo
Hilt of cerimonial knife, wood
Griff eines Zeremonienmessers, Holz
Ceremonieel mesheft, hout
Empuñadura de cuchillo ceremonial, madera
1800–2000
Private collection / Privatsammlung
Privécollectie / Colección privada

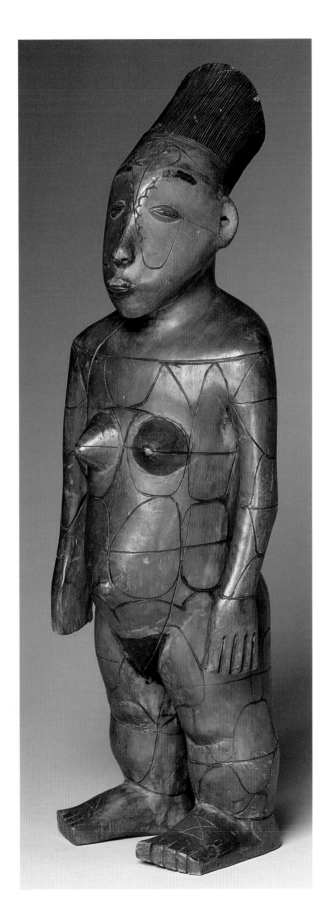

Mangbetu, Democratic Republic of the Congo
Demokratische Republik Kongo
Democratische Republiek Kongo
República Democrática del Congo
Female figure, wood, cotton
Weibliche Figur, Holz, Baumwolle
Vrouwenfiguur, hout, katoen
Figura femenina, madera, algodón
h 46,3 cm / 18.2 in.
Musée du quai Branly, Paris

Mangbetu, Democratic Republic of the Congo
Demokratische Republik Kongo
Democratische Republiek Kongo
República Democrática del Congo
Anthropomorphic box, wood and bark
Anthropomorphe Büchse, Holz und Rinde
Antropomorfe doos, hout en schors
Caja antropomorfa, madera y corteza
1800–2000
British Museum, London

▌ *In these jugs for water, the female body appears as a fertile container. The neck of the jug has the shape of the head of the Mangbetu women, lengthened by their hairstyle and the aesthetic deformation of the skull, obtained by binding the head.*
▌ *Auf diesen Wasserkrügen erscheint der weibliche Körper wie ein fruchtbarer Behälter. Der Hals des Kruges nimmt die Formen des Kopfes der Mangbetu-Frauen an, die von der Frisur und der ästhetischen Verformung des Schädels mittels eines Verbandes verlängert ist.*
▌ *In deze waterkruiken wordt het vrouwelijk lichaam getoond als een vruchtbare container. De hals van de kruik neemt de vorm van het hoofd van de Mangbetu-vrouwen, langwerpig door het kapsel en esthetische vervorming van de schedel, verkregen door middel van een verband.*
▌ *En estas jarras para el agua el cuerpo femenino aparece como un contenedor fecundo. El cuello de la jarra toma las formas de la cabeza de las mujeres mangbetu, alargada por el peinado y por la deformación estética del cráneo obtenida a través de un vendaje.*

◀ Mangbetu,
Democratic Republic of the Congo
Demokratische Republik Kongo
Democratische Republiek Kongo
República Democrática del Congo

Water jar, terracotta   1900–2000
Wasserkrug, Terrakotta
Waterkan, terracotta
Jarra para el agua, terracota

Mangbetu,
Democratic Republic of the Congo
Demokratische Republik Kongo
Democratische Republiek Kongo
República Democrática del Congo

Slit drum,   1800–1900
wood and vegetable fibers   h 43,5 cm / 17.1 in.
Holztrommel,   Musée du quai Branly,
Holz und Pflanzenfasern   Paris
Vaste trommel,
hout en plantaardige vezels
Tambor con hendidura,
madera y fibras vegetales

Mangbetu,
Democratic Republic of the Congo
Demokratische Republik Kongo
Democratische Republiek Kongo
República Democrática del Congo

Harp with neck decorated with a mangbetu head
Harfe mit verziertem Griff, der einen mangbetu-Kopf darstellt
Harp met versierd handvat met een mangbetu-hoofd
Arpa con empuñadura decorada que representa la cabeza
de un mangbetu

1800–2000
Musée Royale
de l'Afrique Centrale,
Tervuren

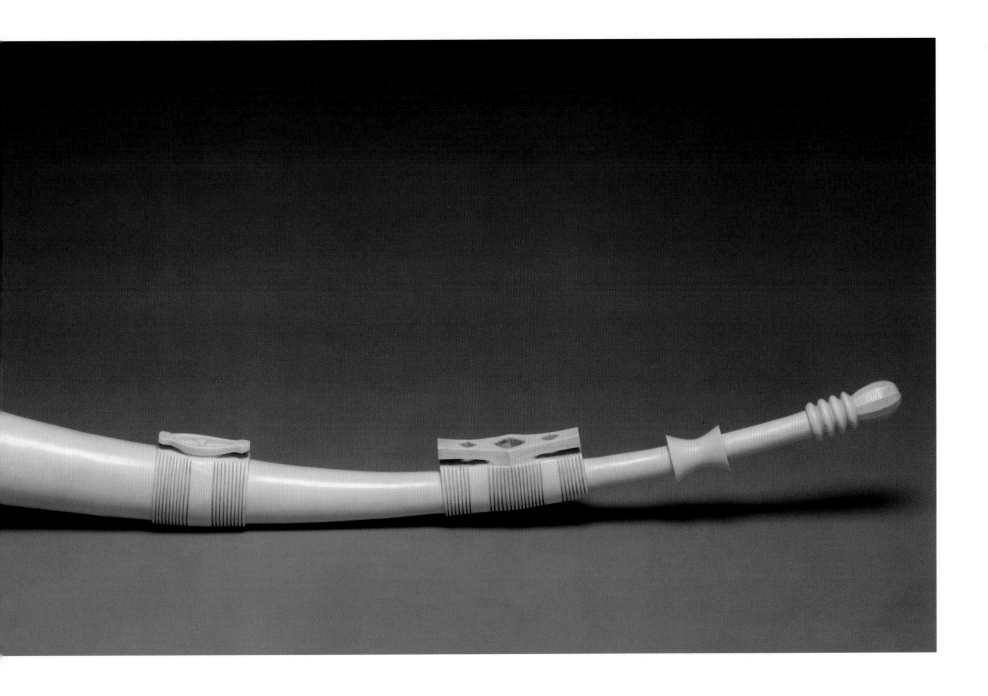

Mangbetu, Democratic Republic of the Congo
Demokratische Republik Kongo
Democratische Republiek Kongo
República Democrática del Congo

Trumpet, ivory
Trompete, Elfenbein
Trommel, ivoor
Trompeta, marfil

1800–1900
h 127 cm / 50 in.
The Metropolitan Museum of Art, New York

Art from East and South Africa

In East Africa there has been a strong cultural and economic influence from Swahili languages and the Muslim culture they brought with them. Despite the exchanges between these populations, the Makonde, living between Tanzania and Mozambique, have maintained their own separate identity and religion. This is shown through their production of masks: their *mapico* masks are a display of respect which their society holds towards the dead. In South Africa, at the beginning of the 19th century, Bantu Nguni speaking populations in the east converted their social organisation into centralised military-like run states (Zulu, Sotho, Swazi, Xhosa and Ndebele), regulated through paternal descent. They took control of any populations they found on their way, up until Tanzania. Artistic expressions of this society can be found in objects associated with individual people: beaded items of clothing, headrests and anthropomorphic spoons.

Die Kunst im Osten und Süden Afrikas

In Ostafrika haben die Swahili-Sprachen und die muslimische Kultur in den gesellschaftlichen und wirtschaftlichen Strukturen deutliche Spuren hinterlassen. Trotz des regen Austauschs haben sich die Makonde zwischen dem heutigen Tansania und Mosambik eine klar abgegrenzte Identität und ihre eigene Religion erhalten. Das zeigt sich in den Masken: Die *mapico* zeugen vom Respekt gegenüber den Verstorbenen. Südliches Afrika. Im Osten des Gebiets führte eine Gruppe von Bantu-Völkern, die unter dem Namen Nguni zusammengefasst werden, zu Beginn des 19. Jahrhunderts zentralistische, militärisch regierte Staaten ein (Zulu, Sotho, Swazi, Xhose und Ndebele). Bestimmend ist hier die väterliche Abstammung. Die Nguni-Völker zwangen ihre Herrschaft allen Bevölkerungsgruppen auf, die sie auf ihrem Weg nach Tansania antrafen. Künstlerischer Ausdruck sind Objekte, die mit der Person im Zusammenhang stehen: perlenverzierte Kleidungsstücke, Kopfstützen und anthropomorphe Löffel.

De kunst van Oostelijk en Zuidelijk Afrika

In Oostelijk Afrika hebben de Swahili-talen en de moslimcultuur een sterke culturele en economische impact gehad. Ondanks de vele uitwisselingen hebben de Makonde, die in het zuidoosten van Tanzania en in het noorden van Mozambique leven, een vastomlijnde identiteit en eigen religie behouden. Dit heeft de productie van de maskers gekenmerkt: de *Mapico* tonen het respect dat de gemeenschap voor de overledenen heeft. Zuidelijk Afrika: in het oosten veranderden de Bantu-sprekende volken Nguni aan het begin van de negentiende eeuw hun sociale organisatie in militaire, centrale machtsstaten (Zulu, Sotho, Swazi, Xhosa en Ndebele), gebaseerd op patrilineaire afstamming. Ze onderworpen de volken die ze op hun weg tot aan Tanzania tegenkwamen. De kunstuitingen van deze gemeenschap zijn objecten voor het individu: kledingstukken gemaakt van kralen, hoofdsteunen en antropomorfe lepels.

El arte del África oriental y meridional

En el África oriental fue grande la influencia, cultural y económica, de las lenguas swahili y de la cultura musulmana de las cuales son portadores. A pesar de los intercambios, los Makonde, entre Tanzania y Mozambique, han mantenido una identidad bien precisa y su propia religión. Esto ha marcado la producción de las máscaras: las *mapico* señalaban el respeto que la sociedad tenía por los difuntos. África meridional. En esta zona, los pueblos de lengua bantú Nguni, a comienzos del siglo XIX, conviritieron su propia organización social en estados de poder central de tipo militar (Zulu, Sotho, Swazi, Xhosa y Ndebele), regulados por la descendecia por línea paterna. Impusieron su dominio a las poblaciones que encontraron en su camino hasta Tanzania. Expresión de esta sociedad en el campo artístico son los objetos relacionados con el individuo: prendas con perlas, reposacabezas y cucharas antropomorfas.

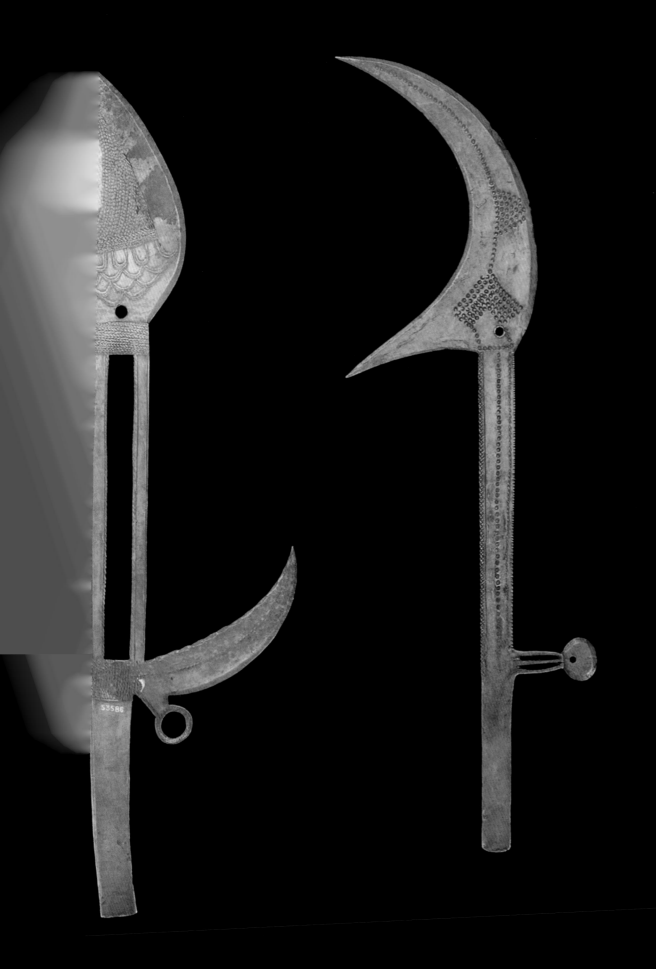

Azande, Sudan / Sudán
Blades, copper
Schneiden, Kupfer
Messen, koper
Hojas de cuchillas, cobre
British Museum, London

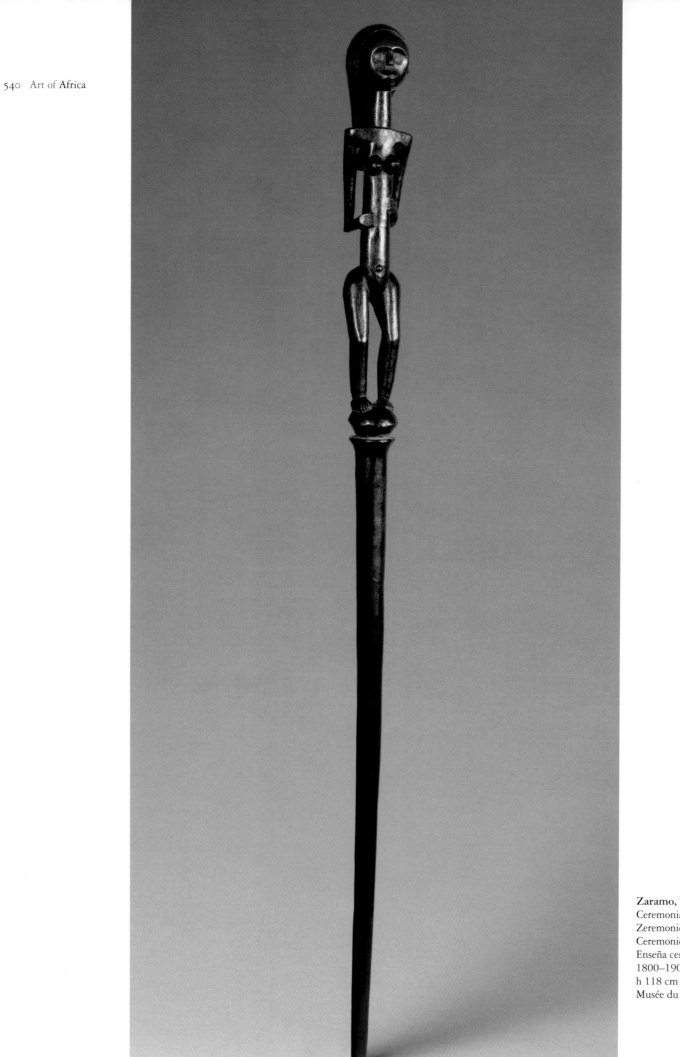

Zaramo, Tanzania / Tansania
Ceremonial emblem, wood
Zeremonienzeichen, Holz
Ceremonieel teken, hout
Enseña ceremonial, madera
1800–1900
h 118 cm / 46.4 in.
Musée du quai Branly, Paris

Zaramo, **Tanzania / Tansania**	*Mwana hiti* fertility doll, wood Fruchtbarkeitspuppe (*mwana hiti*), Holz Vruchtbaarheidspoppetje (*mwana hiti*), hout Muñequita de la fertilidad (*mwana hiti*), madera	Museum für Völkerkunde, Berlin
Zaramo, **Tanzania / Tansania**	*Mwana hiti* fertility doll, wood Fruchtbarkeitspuppe (*mwana hiti*), Holz Vruchtbaarheidspop (*mwana hiti*), hout Muñeca de la fertilidad (*mwana hiti*), madera	*ante* 1902 Museum für Völkerkunde, Berlin

Zaramo,
Tanzania / Tansania

Mwana hiti figure, wood and metal
Mwana hiti-Figur, Holz und Metall
Mwana hiti-figuur, hout en metaal
Figura *mwana hiti*, madera y metal

1800–1900
Museum
für Völkerkunde, Berlin

Zaramo,
Tanzania / Tansania

Funerary figure with movable arms and legs,
wood and metal
Begräbnisfigur mit beweglichen
Armen und Beinen, Holz und Metall
Rouwfiguur met beweegbare
armen en benen, hout en metaal
Figura funeraria con brazos y piernas
móviles, madera y metal

1800–1900
h 89 cm / 35.1 in.
Ethnologisches
Museum, Berlin

Nyamwezi, Tanzania / Tansania
Anthropomorphic stool with back, wood
Anthropomorpher Sitz mit Lehne, Holz
Antropomorfe zetel met spiraal, hout
Silla antropomorfa con respaldo, madera
h 94 cm / 37 in.
Private collection / Private Sammlung
Privécollectie / Colección privada

▶ **Nyamwezi, Tanzania / Tansania**
Chief's stool with back, wood
Häuptlingsstuhl mit Rückenlehne, Holz
Zetel met rugleuning van een leider, hout
Silla del jefe con respaldo, madera
1800–1900
h 107 cm / 42.2 in.
Ethnologisches Museum, Berlin

Makonde,
Tanzania-Mozambique
Tansania-Mosambik
Maternity figure, wood
Mutterschaft, Holz
Moederschap, hout
Maternidad, madera
1880–1900
h 36,8 cm / 14.4 in.
Kimbell Art Museum, Fort Worth (TX)

▶ Makonde,
Tanzania-Mozambique
Tansania-Mosambik
Female figure (possibily founder of the line), wood
Weibliche Figur, möglicherweise die Stammesmutter, Holz
Vrouwenfiguur, mogelijk stichtster van een geslacht, hout
Figura femenina, quizás fundadora de la estirpe, madera
Museum für Völkerkunde, Berlin

Makonde,
Tanzania-Mozambique
Tansania-Mosambik
Mapico mask, wood and hair
Mapico-Maske, Holz und Haar
Mapico-masker, hout en haar
Máscara mapico, madera y cabello
Tanzania National Museum,
Dar es Salaam

◀ Makonde,
Tanzania-Mozambique
Tansania-Mosambik
Mapico mask
Mapico-Maske
Mapico-masker
Máscara mapico
Tanzania National Museum,
Dar es Salaam

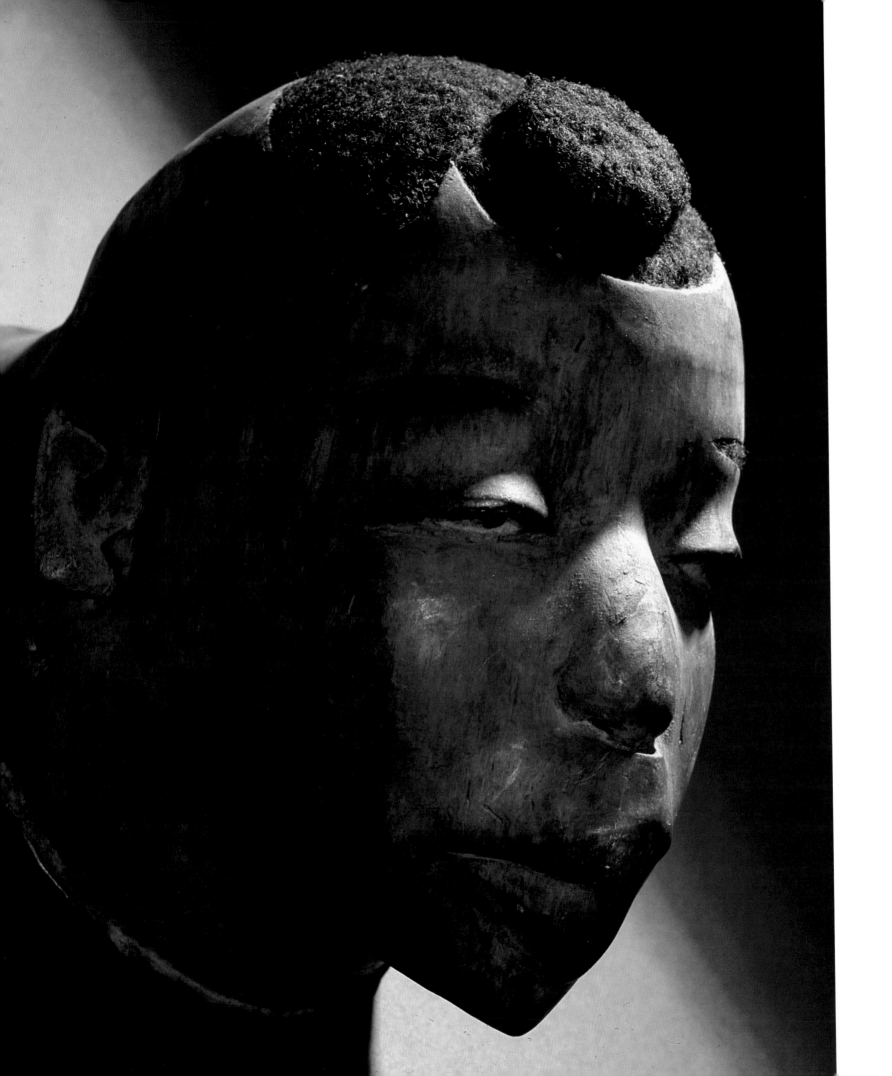

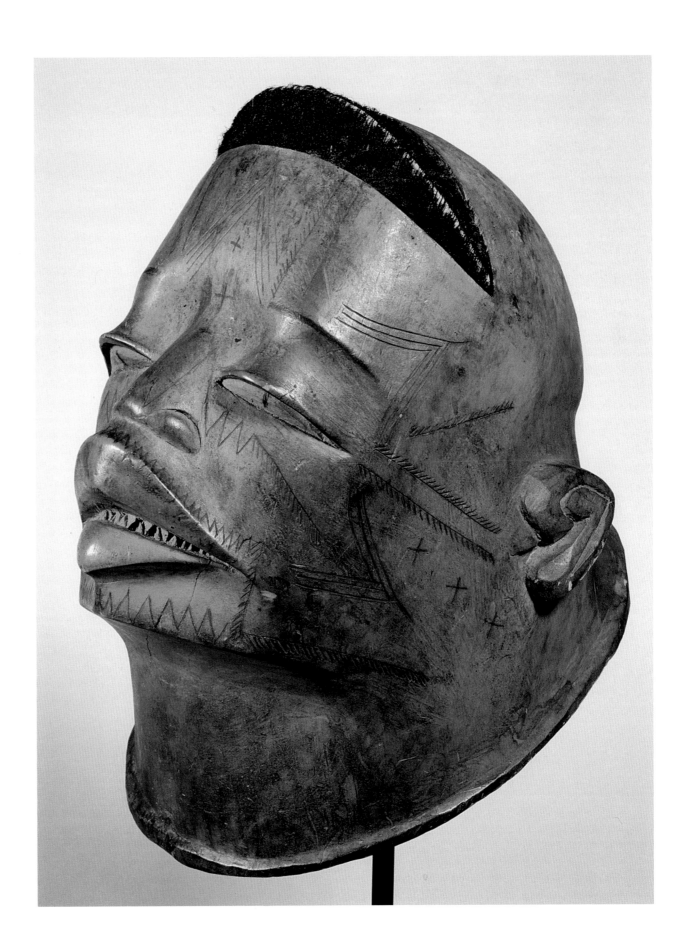

Makonde,
Tanzania-Mozambique
Tansania-Mosambik
Helmet mask
Helmmaske
Helmmasker
Máscara yelmo
h 27 cm / 10.6 in.
Private collection / Private Sammlung
Privécollectie / Colección privada

◀ Makonde,
Tanzania-Mozambique
Tansania-Mosambik
Mapico mask, wood and hair
Mapico-Maske, Holz und Haare
Mapico masker, hout en haar
Máscara mapico, madera y cabellos
Tanzania National Museum, Dar es Salaam

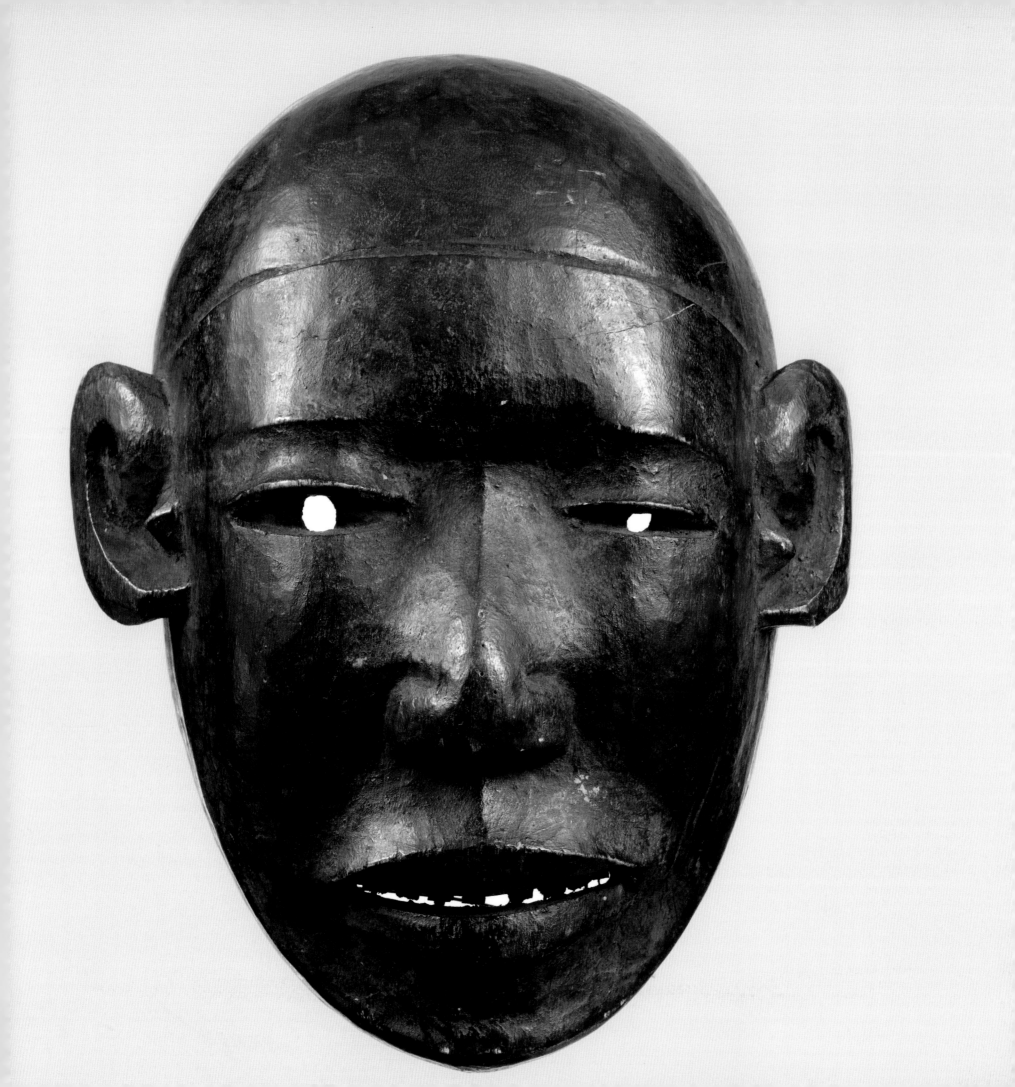

Makonde,
Tanzania-Mozambique
Tansania-Mosambik
Anthropomorphic drum (*Singanga*), wood and leather
Anthropomorphe Trommel (*singanga*), Holz und Haut
Antropomorfe trommel (*singanga*), hout en huid
Tambor antropomorfo (*singanga*), madera y piel
1900–1950
h 26 cm / 10.2 in.
Yale University Art Gallery, New Haven

Makonde,
Tanzania-Mozambique
Tansania-Mosambik
Decorated club (probably a valued object belonging
to a soothsayer or chief), wood
Stab mit Menschenfigur, wahrscheinlich Prestigeobjekt
eines Wahrsagers oder Häuptlings, Holz
Staf met figuur, waarschijnlijk prestigeobject
van een waarzegger of leider, hout
Bastón con forma de figura, probable símbolo
de poder de un adivino o un jefe, madera
Private collection / Privatsammlung
Privécollectie / Colección privada

◀ **Makonde,**
Tanzania-Mozambique
Tansania-Mosambik
Ndimu anthropomorphic mask, wood
Anthropomorphe *ndimu*-Maske, Holz
Antropomorf *ndimu*-masker, hout
Máscara antropomorfa *ndimu*, madera
h 19,8 cm / 7.8 in.
Musée du quai Branly, Paris

Sakalava, Madagascar
Madagaskar
Grave marker, wood
Grabzeichen, Holz
Grafteken, hout
Enseña funeraria, madera
1600–1800
h 99,06 cm / 39 in.
The Metropolitan Museum of Art,
New York

Sakalava, Madagascar
Madagaskar
Grave marker, wood
Grabzeichen, Holz
Grafteken, hout
Enseña funeraria, madera
1800–1900
h 78,5 cm / 30.9 in.
Musée du quai Branly, Paris

Sakalava,
Madagascar / Madagaskar

Amulet, wood, metal,
glass beads and cloth
Amulett, Holz, Metall,
Glasperlen und Stoff
Amulet, hout, metaal,
glaskralen en weefsel
Amuleto, madera, metal,
perlas de vidrio y tejido

h 18 cm / 7.1 in.
Musée du quai Branly, Paris

▶ **Madagascar / Madagaskar**

Udi basi amulet, wood
Amulett (*udi basi*), Holz
Amulet (*udi basi*), hout
Amuleto (*udi basi*), madera

h 14 cm / 5.5 in.
Musée du quai Branly, Paris

Bongo, Sudan / Sudán
Grave marker, wood
Grabzeichen, Holz
Grafteken, hout
Enseña funeraria, madera
1800–2000
British Museum, London

Konso, Ethiopia / Äthiopien
Etiopie / Etiopía
Grave marker, wood
Grabzeichen, Holz
Grafteken, hout
Enseña funeraria, madera
British Museum, London

Zulu warriors, South Africa
Zulukrieger, Südafrika
Zulu-krijgers, Zuid-Afrika
Guerreros zulús, Sudáfrica

ca. 1875
Stapleton Historical Collection, London

Nguni,
South Africa / Südafrika
Zuid-Afrika / Sudáfrica

Sheild, leather and wood
Schild, Leder und Holz
Schild, leer en hout
Escudo, cuero y madera

h 153 cm / 60.3 in.
Musée du quai Branly, Paris

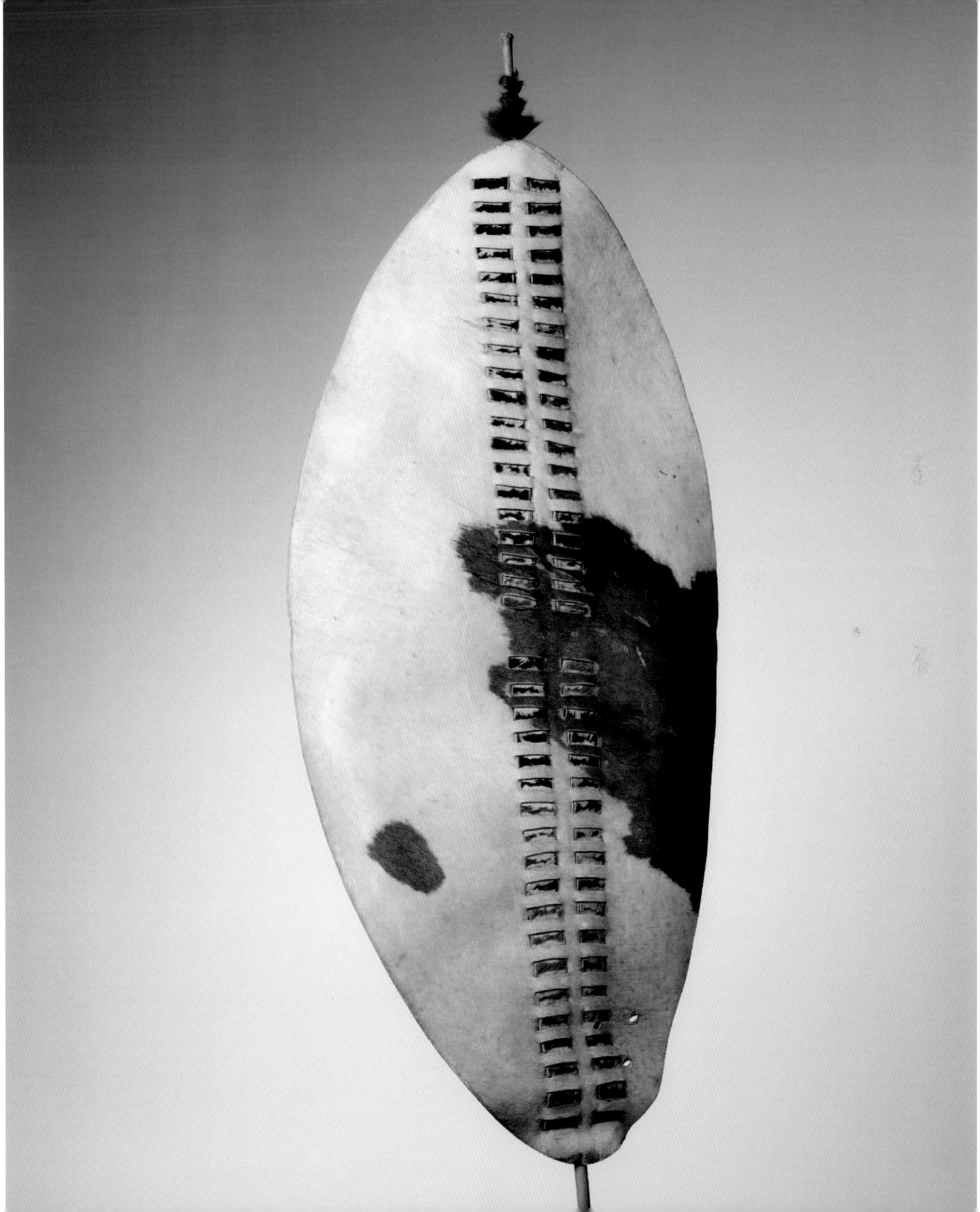

◄ Tsonga, Mozambique / Mosambik
Male statues, wood and leather
Männliche Statuette, Holz und Leder
Mannenbeeldjes, hout en leer
Estatuas masculinas, madera y cuero
ante 1892
h 34 cm / 13.4 in.
Musée du quai Branly, Paris

Tsonga, Mozambique / Mosambik
Head rest, wood
Kopfstütze, Holz
Hoofdsteun, hout
Reposacabezas, madera
h 156,5 cm / 61.7 in.
Musée du quai Branly, Paris

Tsonga, Mozambique / Mosambik
South Africa / Südafrika
Zuid-Afrika / Sudáfrica
Head rest, wood
Kopfstütze, Holz
Hoofdsteun, hout
Reposacabezas, madera
1800–2000
h 12,2 cm / 4.8 in.
The Metropolitan Museum of Art, New York

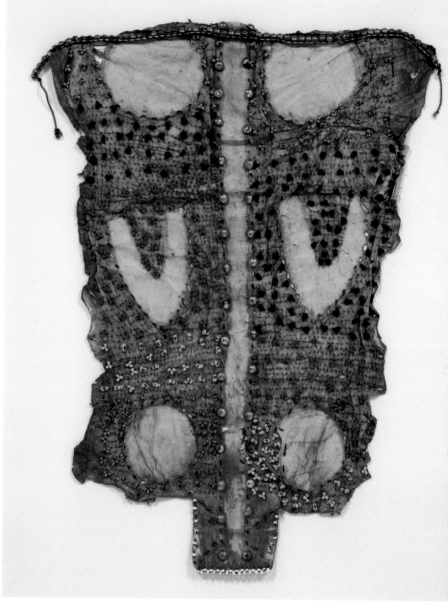

◀ Zulu,
South Africa / Südafrika
Zuid-Afrika / Sudáfrica
Male garment, leather and glass beads
Kleidungsstück eines Mannes,
Leder und Glasperlen
Kledingstuk voor mannen,
leer en glaskralen
Prenda masculina,
cuero y perlas de vidrio
1940
h 53,5 cm / 21.1 in.
Musée du quai Branly, Paris

Ndebele, South Africa / Südafrika / Zuid-Afrika / Sudáfrica
Married woman's garment, leather, glass beads, brass
Kleidung einer verheirateten Frau, Leder, Glasperlen, Messing
Kleding van getrouwde vrouw, leer, glaskralen, messing
Vestido de mujer casada, cuero, cuentas de vidrio, latón
h 65,3 cm / 25.7 in.
Musée du quai Branly, Paris

Zulu, South Africa / Südafrika / Zuid-Afrika / Sudáfrica
Apron worn during pregnancy, antelope skin, glass beads, plastic
Schwangerschaftsschürze, Antilopenhaut, Glasperlen, Plastik
Zwangerschapsschort, antilopenhuid, glaskralen, plastic
Delantal de embarazo, piel de antílope, cuentas de vidrio, plástico
67 x 51 x 1,5 cm / 26.3 x 20 x 0.6 in.
Musée du quai Branly, Paris

❚ *Headrests are used mainly by Shona men. In their sleep they visit the ancestors to ensure the protection, well-being and prosperity of the family. Soothsayers sometimes use them to contact the spirit world. The triangular and circular geometric motifs on the headrest symbolise the female body, legs, breasts, and shoulders. The sleeping man's head completes the figure.*
❚ *Bei den Shona benutzen die Kopfstütze vorwiegend die Männer, die beim Schlafen die Vorfahren besuchen, um den notwendigen Schutz für die Gesundheit und den Wohlstand der Familie sicher zu stellen. Manchmal machen auch die Wahrsager davon Gebrauch, um den Kontakt mit dem Jenseits herzustellen. Die geometrischen, dreieckigen und runden Motive, die auf der Kopfstütze abgebildet sind, erinnern an den weiblichen Körper: Beine, Brüste und Schultern. Der schlafende Mann vervollständigt die Figur, indem er den Kopf hinzufügt.*
❚ *Een hoofdsteun wordt onder de Shona voornamelijk door mannen gebruikt, die tijdens de slaap de voorouders bezoeken, om zich te verzekeren van de nodige bescherming voor het welzijn en de welvaart van de familie. Soms werden ze ook gebruikt door waarzeggers, die het gebruikten om contact te leggen met het hiernamaals. De driehoekige en ronde geometrische patronen die voorkomen op de hoofdsteun, doen denken aan het vrouwelijk lichaam met benen, borsten en schouders. De man, wanneer hij slaapt, voltooit het figuur door toevoeging van het volledige hoofd.*
❚ *Quienes usan el apoyacabeza entre los Shona son predominantemente los hombres, que durante el sueño van a visitar a los antepasados, para asegurarse la protección necesaria para el bienestar y la prosperidad de la familia. A veces lo usan también los adivinos que se sirven de él para establecer un contacto con el más allá. Los motivos geométricos y circulares que aparecen sobre el apoyacabeza hacen referencia al cuerpo femenino: piernas, senos y hombros. El hombre cuando duerme completa la figura agregando la cabeza.*

Shona, South Africa / Südafrika
Zuid-Afrika / Sudáfrica

Headrest, wood
Kopfstütze, Holz
Hoofdsteun, hout
Apoyacabeza, madera

1872
h 19,3 cm / 7.6 in.
Musée du quai Branly, Paris

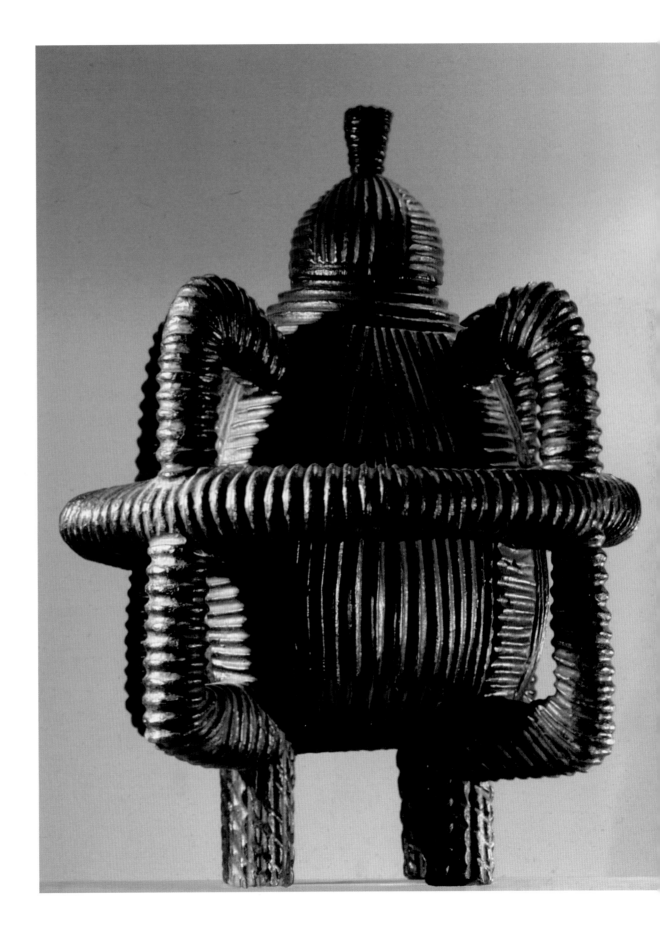

Zulu, South Africa / Südafrika
Zuid-Afrika / Sudáfrica
Vase with engraved lid
Gefäß mit geschnitztem Deckel
Gekerfde vaas met deksel
Jarrón con tapadera tallada
ca. 1880–1900
British Museum, London

Nicolaas Henneman   Zulu eating   1853
                         Zulu beim Essen   Musée du quai Branly, Paris
                         Lunchende zulu
                         Zulú comiendo

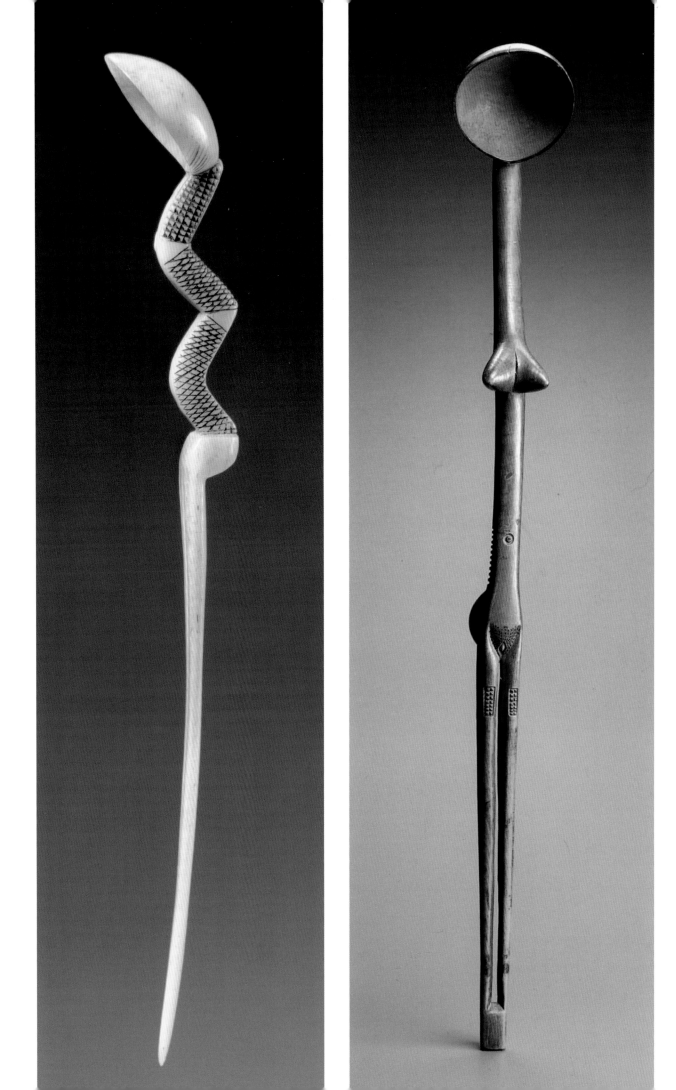

Zulu, South Africa / Südafrika
Zuid-Afrika / Sudáfrica
Anthropomorphic spoon, bone
Anthropomorpher Löffel, Knochen
Antropomorfe lepel, bot
Cuchara antropomorfa, hueso
1800–1900
h 16,5 cm / 6.5 in.
Private collection / Private Sammlung
Privécollectie / Colección privada

Zulu, South Africa / Südafrika
Zuid-Afrika / Sudáfrica
Anthropomorphic spoon, wood
Anthropomorpher Löffel, Holz
Antropomorfe lepel, hout
Cuchara antropomorfa, madera
1800–1910
h 54,5 cm / 21.4 in.
Musée du quai Branly, Paris

Index of Names

Namensindex

Inhoudsopgave van de namen

Índice de los nombres

© 2011 SCALA Group S.p.A.
62, via Chiantigiana
50012 Bagno a Ripoli
Florence (Italy)
www.scalarchives.com

Created and distributed in cooperation with Frechmann Kolón GmbH
www.frechmann.com
Project Management: E-ducation.it S.p.A., Firenze

ISBN (English): 978-88-87090-91-8
ISBN (German): 978-88-87090-90-1
ISBN (Dutch): 978-88-87090-92-5

Printed in China 2011

1979. Acc.n.: 1979.290 ; Veranda Post: Equestrian Figure and Female Caryatid. Yoruba, Ekiti group, before 1938; Wood, pigment, H. 71 in. (180.3 cm). Purchase, Lila Acheson Wallace Gift, 1996. Acc.n.: 1996.558 ; Female figure. Liberia or Ivory Coast, Dan, before 1960; Wood, fiber, pigment, cloth, metal, H. 23 in. (58.4 cm).The Michael C. Rockefeller Memorial Collection, Purchase, Nelson A. Rockefeller Gift, 1964. Acc.n.: 1978.412.499 ; Mask: Female (Pwo). Chokwe people, Early 20th century; Wood, fiber, brass, pigment, H. 10 5/8 x W. 7 in. (27 x 17.8 cm). Purchase, Daniel and Marian Malcolm, Mr. and Mrs. James J. Ross, Sidney and Bernice Clyman Gifts, and Rogers Fund, 2003. Inv. 2003.288a, b; Commemorative Figure: Seated Male. Democratic Republic of Congo or Angola; Kongo, 19th-20th century; Wood, glass, metal, kaolin, H. 11 1/2 in. (29.2 cm). Purchase, Louis V. Bell Fund, Mildred Vander Poel Becker Bequest, Amalia Lacroze de Fortabat Gift, and Harris Brisbane Dick Fund, 1996. Inv. 1996.281; Mask: Portrait (Mblo). Ivory Coast, Baule people, 19th20th century; Wood, pigment, H. 16 1/2 x W. 6 x D. 5 in. (41.9 x 15.2 x 12.7 cm). Purchase, Rogers Fund and Daniel and Marian Malcolm Gift, 2004 . Inv. 2004.445; Crucifix, 16th–early 17th century; Brass, 1650. Gift of Ernst Anspach, 1999. Inv.1999.295.7; Helmet Mask (Gelede). Yoruba, Ketu group, 20th century; Wood, 2000. Gift of Paul and Ruth W. Tishman, 1990. Inv.1990.336; Triple Crucifix, 17th century; Wood, brass, 1700. Gift of Ernst Anspach, 1999. Inv.1999.295.15; Female Figure with Mortar and Pestle, 16th–early 20th century; Wood, iron, 2000. Gift of Lester Wunderman, 1979. Inv.1979.541.12; Seated Figure. Mali; Djenne, 13th century; Terracotta, H. 10 in. (25.4 cm). Purchase, Buckeye Trust and Mr. and Mrs. Milton Rosenthal Gifts, Joseph Pulitzer Bequest and Harris Brisbane Dick and Rogers Funds, 1981. Acc.n.: 1981.219; Figure. Mali; Dogon, 16th-20th century; Wood, patina, H. 82 7/8 in. (210.5 cm).The Michael C. Rockefeller Memorial Collection, Gift of Nelson A. Rockefeller, 1969. Acc.n.: 1978.412.323; Ritual Vessel: Horse with Figures (Aduno Koro). Mali; Dogon, 16th-19th century; Wood, L. 93 in. (236.2 cm). The Michael C. Rockefeller Memorial Collection, Bequest of Nelson A. Rockefeller, 1979. Acc.n.: 1979.206.256; Seated Couple. Mali; Dogon, 16th-19th century; Wood, metal, H. 28 3/4 in. (73 cm). Gift of Lester Wunderman, 1977. Acc.n.: 1977.394.16; Seated Male with Lance. Mali; Bamana, 15th-20th century; Wood, H. 35 3/8 in. (89.9 cm). Gift of the Kronos Collections, in honor of Martin Lerner, 1983. Acc.n.: 1983.600a, b ; Seated Mother and Child. Mali; Bamana, 15th-20th century; Wood, H. 48 5/8 in. (123.5 cm).The Michael C. Rockefeller Memorial Collection, Bequest of Nelson A. Rockefeller, 1979. Acc.n.: 1979.206.122; Mask (Kpeliye). Ivory Coast, Senufo, 19th-20th century; Wood, horns, fiber, cotton cloth, feather, metal, sacrificial material, H. 14 1/8 in. (35.9 cm).The Michael C. Rockefeller Memorial Collection, Purchase, Nelson A. Rockefeller Gift, 1965. Acc.n.: 1978.412.489.Photo: Schecter Lee.; Mask: Female Figure (Karan-wemba). Burkina Faso; Mossi, 19th-20th century; Wood, metal, H. 29 1/2 in. (74. 9 cm).The Michael C. Rockefeller Memorial Collection, Bequest of Nelson A. Rockefeller, 1979. Acc.n.: 1979.206.84.Photo: Schecter Lee.; Diviner's Figures (Couple). Ivory Coast, Baule, 19th-20th century; Wood, pigment, beads, iron, H. 21 3/16 in. (55.4 cm); H. 20 2/3 in. (52.5 cm).The Michael C. Rockefeller Memorial Collection, Gift of Nelson A. Rockefeller, 1969. Acc.n.: 1978.412.390–.392; Pendant Mask: Iyoba. Edo, Court of Benin, 16th century; Ivory, iron, copper (?), H. 9 3/8 in. (23.8 cm). The Michael C. Rockefeller Memorial Collection, Gift of Nelson A. Rockefeller, 1972. Acc.n.: 1978.412.324; Head of an Oba. Edo, Court of Benin, 16th century (c. 1550); Brass, H. 9 1/4 in. (23.5 cm).The Michael C. Rockefeller Memorial Collection, Bequest of Nelson A. Rockefeller, 1979. Acc.n.: 1979.206.86.Photo: Schecter Lee.; Helmet Mask. Cameroon; Bamum, before 1881; Wood, copper, glass beads, raffia, cowrie shells, H. 26 in. (66 cm).The Michael C. Rockefeller Memorial Collection, Purchase, Nelson A. Rockefeller Gift, 1967. Acc.n.: 1978.412.561; Reliquary Head (Nlo Bieri). Gabon; Fang, Betsi group, 19th-20th century; Wood, metal, palm oil, H. 18 5/16 in. (46.5 cm).The Michael C. Rockefeller Memorial Collection, Bequest of Nelson A. Rockefeller, 1979. Acc.n.: 1979.206.230; Mask (Mukudj).

Gabon; Punu, 19th-20th century; Wood, pigment, kaolin, H. 13 1/2 in. (34.3 cm). Purchase, Louis V. Bell Fund and The Fred and Rita Richman Family Foundation and James Ross Gifts, 2000. Acc.n.: 2000.178; Mask: Ram (Bata). Gabon or Republic of Congo; Kwele, 19th-20th century; Wood, pigment, kaolin, H. 20 3/4 in. (52.7 cm).The Michael C. Rockefeller Memorial Collection, Bequest of Nelson A. Rockefeller, 1979. Acc.n.: 1979.206.9; Figure depicting Seated Chief Playing Thumb Piano (Mwanangana). Angola; Chokwe, before 1870; Wood (Uapaca), cloth, fiber, beads, H. 16 3/4 in. (42.5 cm).Rogers Fund, 1988. Acc.n.: 1988.158; Power Figure: Male (Nkisi). Democratic Republic of Congo; Kongo, 19th-20th century; Wood, pigment, nails, cloth, beads, shells, arrows, leather, nuts, twine, H. 23 in. (58.8 cm).The Michael C. Rockefeller Memorial Collection, Bequest of Nelson A. Rockefeller, 1979. Acc.n.: 1979.206.128; Power Figure: Male (Nkisi). Democratic Republic of Congo; Songye, 19th-20th century; Wood, copper, brass, iron, fiber, snakeskin, leather, fur, feathers, mud, resin, H. 39 in. (91.9 cm). Purchase, Mrs. Charles Englehard and Mary R. Morgan Gifts and Rogers Fund, 1978. Acc.n.: 1978.410; Figure depicting a couple (Hazomanga?). Madagascar; Sakalava, 17th-l18th century; Wood, pigment, H. 39 in. (99.06 cm). Purchase, Lila Acheson Wallace, Daniel and Marian Malcolm, and James J. Ross Gifts, 2001. Acc.n.: 2001.409; Lidded Saltcellar. Sierra Leone, Sapi-Portuguese, 15th-16th century; Ivory, H. 11 3/4 in. (29.8 cm). Gift of Paul and Ruth W. Tishman, 1991. Acc.n.: 1991.435a, b ; Lidded Vessel. Yoruba, Owo group, 17th-18th century; Ivory, wood or coconut shell inlay, H. 8 1/4 in. (20.9 cm). Gift of Mr. and Mrs. Klaus G. Perls, 1991. Acc.n.: 1991.17.126a, b ; Prestige Stool: Female Caryatid. Zaire (Democratic Republic of Congo); Luba/Hemba, 19th century; Wood, metal studs, H. 24 in. (61 cm). Purchase, Buckeye Trust and Charles B. Benenson Gifts, Rogers Fund and funds from various donors, 1979. Acc.n.: 1979.291; Veranda Post: Equestrian Figure and Female Caryatid. Yoruba, Ekiti group, before 1939; Wood, pigment, H. 71 in. (180.3 cm). Purchase, Lila Acheson Wallace Gift, 1996. Acc.n.: 1996.559; Female figure. Liberia or Ivory Coast, Dan, before 1961; Wood, fiber, pigment, cloth, metal, H. 23 in. (58.4 cm).The Michael C. Rockefeller Memorial Collection, Purchase, Nelson A. Rockefeller Gift, 1964. Acc.n.: 1978.412.500; Mask: Female (Pwo). Chokwe people, Early 20th century; Wood, fiber, brass, pigment, H. 10 5/8 x W. 7 in. (27 x 17.8 cm). Purchase, Daniel and Marian Malcolm, Mr. and Mrs. James J. Ross, Sidney and Bernice Clyman Gifts, and Rogers Fund, 2003. Inv. 2003.288a, b; Commemorative Figure: Seated Male. Democratic Republic of Congo or Angola; Kongo, 19th-20th century; Wood, glass, metal, kaolin, H. 11 1/2 in. (29.2 cm). Purchase, Louis V. Bell Fund, Mildred Vander Poel Becker Bequest, Amalia Lacroze de Fortabat Gift, and Harris Brisbane Dick Fund, 1996. Inv. 1996.282; Mask: Portrait (Mblo). Ivory Coast, Baule people, 19th20th century; Wood, pigment, H. 16 1/2 x W. 6 x D. 5 in. (41.9 x 15.2 x 12.7 cm). Purchase, Rogers Fund and Daniel and Marian Malcolm Gift, 2004 . Inv. 2004.446; Crucifix, 16th–early 17th century; Brass, 1650. Gift of Ernst Anspach, 1999. Inv.1999.295.8; Helmet Mask (Gelede). Yoruba, Ketu group, 20th century; Wood, 2000. Gift of Paul and Ruth W. Tishman, 1990. Inv.1990.337; Triple Crucifix, 17th century; Wood, brass, 1700. Gift of Ernst Anspach, 1999. Inv.1999.295.16; Female Figure with Mortar and Pestle, 16th–early 20th century; Wood, iron, 2000. Gift of Lester Wunderman, 1979. Inv.1979.541.13; Seated Figure. Mali; Djenne, 13th century; Terracotta, H. 10 in. (25.4 cm). Purchase, Buckeye Trust and Mr. and Mrs. Milton Rosenthal Gifts, Joseph Pulitzer Bequest and Harris Brisbane Dick and Rogers Funds, 1981. Acc.n.: 1981.220; Figure. Mali; Dogon, 16th-20th century; Wood, patina, H. 82 7/8 in. (210.5 cm).The Michael C. Rockefeller Memorial Collection, Gift of Nelson A. Rockefeller, 1969. Acc.n.: 1978.412.324; Ritual Vessel: Horse with Figures (Aduno Koro). Mali; Dogon, 16th-19th century; Wood, L. 93 in. (236.2 cm). The Michael C. Rockefeller Memorial Collection, Bequest of Nelson A. Rockefeller, 1979. Acc.n.: 1979.206.257; Seated Couple. Mali; Dogon, 16th-19th century; Wood, metal, H. 28 3/4 in. (73 cm). Gift of Lester Wunderman, 1977. Acc.n.: 1977.394.17; Seated Male with Lance. Mali; Bamana, 15th-20th century; Wood, H. 35 3/8 in. (89.9 cm). Gift of the Kronos Collections, in honor of Martin Lerner, 1983. Acc.n.: 1983.600a, b ; Seated Mother and Child. Mali; Bamana, 15th-20th century; Wood, H. 48 5/8 in. (123.5 cm).The Michael C. Rockefeller Memorial Collection, Bequest of Nelson A. Rockefeller, 1979. Acc.n.: 1979.206.123; Mask (Kpeliye). Ivory Coast, Senufo, 19th-20th century; Wood, horns, fiber, cotton cloth, feather, metal, sacrificial material, H. 14 1/8 in. (35.9 cm).The Michael C. Rockefeller Memorial Collection, Purchase, Nelson A. Rockefeller Gift, 1965. Acc.n.: 1978.412.489.Photo: Schecter Lee.; Mask: Female Figure (Karan-wemba). Burkina Faso; Mossi, 19th-20th century; Wood, metal, H. 29 1/2 in. (74. 9 cm).The Michael C. Rockefeller Memorial Collection, Bequest of Nelson A. Rockefeller, 1979. Acc.n.: 1979.206.84.Photo: Schecter Lee.

Yale University Art Gallery, New Haven (CT)
Seated Male Figure (Nkisi), Late 19th-early 20th century; Wood, fiber, unidentified substances, Overall: 16.51 x 6.35 x 6.35 cm (6 1/2 x 2 1/2 x 2 1/2 in.). Gift of Georgia and Michael de Havenon in honor of Gaston T. de Havenon. Acc.n.: 1997.58.1; Yoruba twin Figure (Ibeji), Early 20 century; Wood, beads, metal, Overall: 26.67 x 12.7 x 10.16 (10 1/2 x 5 x 4 in.). Gift of Mr. and Mrs. James M. Osborn for the Linton Collection of African Art. Acc.n.: 1960.33.8; Female Figure with Bowl (Mboko), Late 19th-early 20th century; Wood, Overall: 31.8 x 31.8 x 36.2 cm (12 1/2 x 12 1/2 x 14 1/4 in.). Gift of Mr. and Mrs. James M. Osborn for the Linton Collection of African Art. Acc.n.: 1954.28.26; Chokwe Female Mask (Mwana Pwo), Early 20th century; Wood, fiber, red pigment, Overall: 25.4 x 19.7 x 22 cm (10 x 7 3/4 x 8 11/16 in.). Gift of Mr. and Mrs. James M. Osborn for the Linton Collection of African Art. Acc.n.: 1954.28.27; Yoruba Ifa Divination Tray (Opon Ifa), Late 19th-early 20th century; Wood, Overall: 55.88 x 55.88 x 2.54 cm (22 x 22 x 1 in.). Gift of Mr. and Mrs. James M. Osborn for the Linton Collection of African Art. Acc.n.: 1954.28.34, Babanki Chief's Stool, 20th century; Wood, pigment, Overall: 53.34 x 48.26 x 48.26 cm (21 x 19 x 19 in.). Gift of Mr. and Mrs. James M. Osborn for the Linton Collection of African Art. Acc.n.: 1955.61.16; Pende Mask (Mbuya), Late 19th-early 20th century; Wood, fiber, Overall: 38.1 x 35.56 x 22.86 cm (15 x 14 x 9 in.). Gift of Mr. & Mrs. William B. Jaffe. Acc.n.: 1969.106; Dogon Mask (Kanaga), Early-mid-20th century; Wood, pigment, fiber, Overall: 109.3 x 61.9 x 17.7 cm (43 1/16 x 24 3/8 x 6 15/16 in.). Gift of James M. Osborn for the Linton Collection of African Art. Acc.n.: 1975.126.1, Makonde Drum Supported by a Human Leg (Singanga), Early-mid-20th century; Wood, hide, Object: 26.035 x 11.43 x 11.113 cm (10 1/4 x 4 1/2 x 4 3/8 in.). Leonard C. Hanna, Jr., B.A. 1913, Fund. Acc.n.: 2004.24.1; Mende Female Figure, Late 19th-early 20th century; Wood, Object: 64 x 15 x 11.5 cm (25 3/16 x 5 7/8 x 4 1/2 in.). Charles B. Benenson, B.A. 1933, Collection. Acc.n.: 2006.51.178; Suku Mask (Kakuungu), Late 19th-early 20th century, Wood, raffia, pigment, animal hair, tortoise shell, Object: 114.5 x 55.88 x 40.64 cm (45 1/16 x 22 x 16 in.). Charles B. Benenson, B.A. 1933, Collection. Acc.n.: 2006.51.226; Bamileke Chief's Chair, Late 19th-early 20th century; Wood, pigment, Object: 123.2 x 69.9 x 72.4 cm (48 1/2 x 27 1/2 x 28 1/2 in.). Charles B. Benenson, B.A. 1933, Collection. Acc.n.: 2006.51.558; Head, possibly a King. 12th-14th century. Southwestern Nigeria, Ife culture.; Terracotta with residue of red pigment and traces of mica. 10 1/2 x 5 3/4 x 7 3/8 in. (26.7 x 14.5 18.7 cm). AP 1994.04, Male Figure. c. 195 B.C.-A.D. 205. Africa, Northern Nigeria, Nok culture (c. 500 B.C.-A.D. 500).; Terracotta. 19-1/2 x 8-3/4 x 6-5/8 in. (49.5 x 22.2 x 16.8 cm). AP 1996.03; Kneeling Mother and Child. Late 19th century. Africa, Tanzania-Mozambique border area, Makonde people.; Wood. 14-1/2 x 5-3/8 x 4-3/4 in. (36.8 x 13.6 x 12.0 cm). AP 1979.37; Chibinda Ilunga. Mid-19th century. Africa, northeastern Angola, Chokwe people.; Wood, hair, and hide. 16 x 6 x 6 in. (40.6 x 15.2 x 15.2 cm). AP 1978.05.

Kimbell Art Museum, Fort Worth, Texas
Head, possibly a King. 12th-14th century. Southwestern Nigeria, Ife culture., Terracotta with residue of red pigment and traces of mica. 10 1/2 x 5 3/4 x 7 3/8 in. (26.7 x 14.5 18.7 cm). AP 1994.04, Male Figure. c. 195 B.C.-A.D. 205. Africa, Northern Nigeria, Nok culture (c. 500 B.C.-A.D. 500).; Terracotta. 19-1/2 x 8-3/4 x 6-5/8 in. (49.5 x 22.2 x 16.8 cm). AP 1996.03, Kneeling Mother and Child. Late 19th century. Africa, Tanzania-Mozambique border area, Makonde people.; Wood. 14-1/2 x 5-3/8 x 4-3/4 in. (36.8 x 13.6 x 12.0 cm). AP 1979.37; Chibinda Ilunga. Mid-19th century. Africa, northeastern Angola, Chokwe people.; Wood, hair, and hide. 16 x 6 x 6 in. (40.6 x 15.2 x 15.2 cm). AP 1978.05.

The Newark Museum, Newark
Reliquary guardian. Kota people, Gabon; Wood, brass, copper, 21 1/4' h. Collection of The Newark Museum. 24.249.; Blanket (kereka), Fulani people, 20th cent., from Mali; Wool and cotton. 463' l., 61' w. inv. 77.392.; Wrapper (adire Eleko), detail, 20th cent., Yoruba people, Nigeria; Egungun Masquerade Costume. Yoruba people, Ijebuode region, Nigeria, 20th cent; Elephant mask. Bamileke people, Cameroon; Beads and cloth, 66 1/2' h. Collection of The Newark Museum, 82.116.; Palm wine calabash, Bamileke people, from Cameroon. cowrie shells, 23 1/2' h. Collection of The Newark Museum, 82.115.; Beads, gourd cowrie shells. 23 1/2' h. n. 82.115.- ; Earrings, Fulani people, 20th cent., from Mali; Gold, 3 1/4' w. inv. 83.435,a,b.; Epa headdress, 1920 (front view), made by Bamgboye (ca. 1888-1978). Yoruba people, Nigeria; Kente cloth, Ashanti people, 20th cent., from Ghana; 152' w., 112' l. Gift of Mr. and Mrs. William U. Wright, 1985. Inv.: 85.366.; Woman's skirt (bogolanfini), detail. Made by Guancha Diarra, 1985. Bamana people, Mali. Painted cotton (Bokolanfini), 35 3/4' x 62'. Collection of The Newark Museum, 86.47.; Broadloom Kente cloth. Asante people, Ghana. Mid 20th c. Cotton, 79 1/4' x 45'. Collection of The Newark Museum. Inv.: 97.25.11.

Los Angeles County Museum of Art (LACMA), Los Angeles
Comb. Africa, Democratic Republic of the Congo, Luba peoples. 20th century.; Wood. Length: 8 3/4 in. (22.23 cm). Gift of Lee and Bob Bronson (AC1995.51.12).